El cuento español, 1940-1980
(Selección)

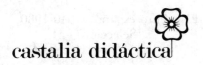

castalia didáctica

Director:
Pedro Álvarez de Miranda

El cuento español, 1940-1980

(Selección)

Introducción, bibliografía,
notas y llamadas de atención,
documentos y orientaciones
para el estudio
a cargo de

Óscar Barrero Pérez

EDITORIAL CASTALIA

© Editorial Castalia, 1989
Zurbano, 39 - 28010 Madrid - Tel. 319 58 57
Cubierta de Víctor Sanz
Impreso en España - Printed in Spain
Talleres Gráficos Peñalara, S. A.
Fuenlabrada (Madrid)
I.S.B.N.: 84-7039-543-2
Depósito Legal: M. 28.066-1991

SUMARIO

Introducción 9

La novela y el cuento entre 1940 y 1980: un cierto
paralelismo 9
    1. *La narrativa en los años cuarenta* 9
    2. *El cuento en los años cuarenta* 15
    3. *La narrativa en los años cincuenta. El neorrealismo* 18
    4. *El cuento en el neorrealismo* 20
    5. *La narrativa en los años cincuenta. El socialrealismo* ... 25
    6. *El cuento en el socialrealismo* 28
    7. *Los independientes y un cierto apoyo editorial* 30
    8. *La narrativa desde* Tiempo de silencio *hasta el fin de
       la Era de Franco* 31
    9. *El cuento desde los años sesenta hasta 1975* 34
   10. *1975-1980: la narrativa del desencanto* 37
   11. *Conclusión: mirando hacia adelante* 39

Bibliografía 43

Documentación gráfica 47

Nota previa 53

El cuento español, 1940-1980 57

    Camilo José Cela: «Marcelo Brito» 59
    Tomás Borrás: «Así vivimos» 71
    Ignacio Aldecoa: «El aprendiz de cobrador» 82
    Ana María Matute: «Vida nueva» 91
    Jesús Fernández Santos: «La vocación» 100
    Carmen Martín Gaite: «Lo que queda enterrado» 111
    Miguel Delibes: «El conejo» 135

Francisco García Pavón: «El mundo transparente» 150

Medardo Fraile: «Descubridor de nada» 165

Alonso Zamora Vicente: «Con la mejor voluntad» 174

Juan Benet: «Reichenau» 192

Jorge Ferrer-Vidal: «Mozart, K. 124, para flauta y orquesta 202

Documentos y juicios críticos 211

A) *Textos complementarios de los autores* 211

B) *El género cuentístico* 227

Orientaciones para el estudio de *El cuento español, 1940-1980* 231

A) *Orientaciones particularizadas* 231

B) *Orientaciones globales* 252

A D. Juan Sola y D. Francisco Torrent, profesores del Colegio e Instituto Ramiro de Maeztu, de quienes mi formación humana y profesional es deudora.

Introducción

La novela y el cuento entre 1940 y 1980: un cierto paralelismo

1. La narrativa en los años cuarenta

1.1. El decisivo acontecimiento que vino a ser la guerra civil iniciada en 1936 y concluida tres años más tarde, estaba destinado a convertirse en el punto de partida de una nueva etapa histórica que convendremos en denominar *Era de Franco*. Superados los primeros años de la posguerra, en que la literatura narrativa se orientó preferentemente al testimonio de los horrores de la contienda (contemplados, lógicamente, desde la óptica de uno de los sectores beligerantes), los novelistas del momento intentaron profundizar en la búsqueda de caminos propios, alejados de la exaltación belicista que había guiado los primeros pasos del creador de la época.

El recurso inevitable (el único posible, dado el vacío narrativo existente en España entre la generación del 98 y la guerra de 1936) a que habría de asirse el joven novelista de posguerra fue el seguimiento del realismo tradicional, más en deuda con Baroja que con Galdós. A esta orientación adoptada por los nuevos novelistas se sumaba, por otro lado, el refuerzo de autores de preguerra (Juan Antonio de

Zunzunegui, Concha Espina, Darío Fernández Flórez, Sebastián Juan Arbó y, por supuesto, Pío Baroja) que mostraban, igualmente, sus preferencias por fórmulas narrativas de carácter realista. Estas son, casi con anulación absoluta de cualesquiera otras posibilidades de enfocar el hecho novelístico, las que marcan el devenir de la narración española en los años cuarenta. Los escasos intentos, a lo largo de estos, de practicar una escritura narrativa no estrictamente realista han de ser entendidos como manifestaciones por completo aisladas de su contexto histórico: Cecilio Benítez de Castro (*La rebelión de los personajes, El creador, Los días están contados, La ciudad perdida*), Gabriel Celaya (*Lázaro calla*), Wenceslao Fernández Flórez (*El bosque animado*), Ángel María Pascual (*Amadís*), Samuel Ros (*Los vivos y los muertos*), el propio Baroja en *El Hotel del Cisne,* fueron los únicos que soslayaron, por aquel entonces, el planteamiento realista dominante.

Si pocos son los nombres adscribibles al antirrealismo en este decenio, no más numerosos son los que podrían incluirse en el catálogo de novelistas que aspiraron a trascender, formal o técnicamente, el realismo lineal de la estructura del relato: únicamente Pedro de Lorenzo (*La quinta soledad, La sal perdida*) y el último Azorín optaron por una quiebra decidida de las convenciones orgánicas del género narrativo [1], pero sus voces literarias no habrían de encontrar un eco que permitiera la fructificación de modelos diferentes del patrón realista unánimemente asumido.

Marginadas en su propia soledad obras novelísticas que, aun enmarcadas dentro del realismo tradicional, emergían como islotes poemáticos que no podían crear escuela (*Los surcos*, de Ignacio Agustí; *La luna ha entrado en casa*, de José Félix Tapia; *Cinco sombras*, de Eulalia Galvarriato), reducidas a la nada las manifestaciones narrativas de sesgo intelec-

---

[1] Vale recordar aquí ese curioso experimento de novela (casi antinovela) escrita por varios autores que fue *Nueve millones* (1944).

tual o existencialista, y a la mínima expresión los testimonios antirrealistas, la novela española de los años cuarenta siguió directamente las pautas de un realismo lineal desviado en dos sentidos básicos: 1) el relato que yo llamaría *anecdótico* (y que otros denominarían *evasivo*), y 2) el relato tremendista. Sobre una base y otra podría articularse la mayor parte de la producción narrativa de entonces, incluido un tipo de novela falangista más en la línea de producciones como *No éramos así*, de José María García Rodríguez (el combate ideológico como respuesta de afirmación personal; la paz de él derivada como principio de una desorientación que habrá de conducir al desengaño), que en la de una literatura *oficial* y dirigida que apenas se hizo notar.

1.2. Novelas hoy recordadas únicamente por los especialistas integran el primero de los dos bloques señalados: obras mejor o peor escritas, generalmente inocuas, cuyo planteamiento anecdótico acostumbra a girar en torno al eje de la preocupación amorosa (casi siempre resuelta en términos próximos al moralismo cristiano), y que habitualmente ofrecían un desenlace positivo. Pienso, al respecto, en los nombres de Francisco de Cossío (*Taxímetro*), César González Ruano (*Manuel de Montparnasse*), Francisco Sancho Ruano (*Riesgo y esperanza*), Manuel Halcón (*Aventuras de Juan Lucas*), Francisco Bonmatí de Codecido (*Los inseparables, Un esqueleto con careta*), incluso Benítez de Castro en *Paul Dufour en España, El frío de la tarde* y otras obras de su abundante producción de este tiempo.

A esta corriente de anecdotismo se agregó un número considerable de escritoras que velaron, en los iniciales años cuarenta, sus primeras (y, en la práctica totalidad de los casos, últimas) armas literarias. La presencia de la mujer como creadora en el terreno narrativo de la posguerra no ha de remitirse, por consiguiente, a 1945 (el año en que Carmen Laforet publicó *Nada*, la primera obra galardonada con el Premio Nadal), sino que puede remontarse a unos

años atrás. Si no deja de ser razonable el olvido en que hoy
se hallan sumidas tantas autoras del momento que vieron
editadas sus novelas sentimentales (la pura anécdota amorosa como materia novelable) y hasta manifiestamente teñidas
de color rosa (abundantemente leídas por el público femenino fueron en esos años Carmen de Icaza, Concha Linares
Becerra y Luisa María Linares, cabezas más visibles del
género), algún hueco en el recuerdo (el que cubriría, por
ejemplo, Elisabeth Mulder) merecería, sin embargo, ser
reparado.

1.3. Temas de encendida controversia ya desde el
momento inicial fueron la intencionalidad, validez, antecedentes literarios, grado de mimetismo, etc., de las novelas
cercanas al segundo grupo diseñado. *Tremendismo* fue vocablo que hizo fortuna en nuestras letras a partir de la
publicación (1942) de *La familia de Pascual Duarte*, la primera
obra extensa de Camilo José Cela, en la que este daba rienda
suelta a su tendencia a la deformación, con abundancia de
elementos grotescos, sangrientos, patológicos: la anormali-
dad humana, en definitiva, como patrón temático de la
construcción narrativa. A la sombra del éxito de esta novela
(éxito achacable tanto a las cualidades intrínsecas de su
estilo como a la eficaz promoción de determinadas revistas y
a la misma personalidad del creador), se instauró en España
un gusto por el relato de *lo tremendo* que habría de sobrevivir
hasta bien avanzados los años cincuenta.

¿Cómo un lector recién salido de una guerra civil y
testigo de otra de proporciones universales pudo sentirse
atraído por la acumulación de horrores servidos por el
tremendismo? Superados ya los tiempos en que todo proceso
literario parecía exigir una interpretación solapadamente
política que vinculase el mismo con la realidad social
(frecuentemente más imaginada por el intérprete que en
verdad existente) o con un fenómeno cultural foráneo (léase
existencialismo, del que bien poco se sabía en la España de

los años cuarenta y que, en consecuencia, muy a duras penas habría podido ser asimilado con tanta rapidez), el tremendismo parece ha de relacionarse con las imposiciones de una moda que, en aquel momento, carecía de rival. El narrador joven de la época, imposibilitado de acceder a fuentes culturales extranjeras (primeramente, porque se libraba una guerra mundial; terminada esta, porque los vencedores sometieron a España a un férreo aislamiento), incapaz de asumir como propios los excesivamente intelectuales moldes novelísticos de la generación inmediatamente anterior (la del 27), aceptó la sujeción hiperrealista que proporcionaba el único *ismo* visible: el que partiría de Cela.

El tremendismo, por otro lado, nada tendría que ver con la reciente conflagración. De existir algún tipo de contacto, este se habría percibido de inmediato (ya en 1940), cuando lo cierto es que las novelas afines a la tendencia en cuestión están fechadas varios años después de *La familia de Pascual Duarte*. En cualquier caso, nunca llegó a organizarse una corriente enteramente definida a partir de los endebles armazones del tremendismo. Solo un relato de 1948, *Nosotros los muertos*, de Manuel Sánchez Camargo (amigo personal de Cela y, como este, especializado en la obra del creador de la *España negra*, Gutiérrez Solana), podría calificarse con propiedad como puramente tremendista, por su acumulación de efectos repulsivos sobre la sensibilidad del lector. La afirmación, naturalmente, no supone negar la existencia de una mayor o menor carga tremendista en abundantes novelas de los años cuarenta y cincuenta.

El tremendismo ocupó esa tierra de nadie que tras el vacío originado por el paréntesis bélico quedó en la narrativa española; vacío más profundo, repito, si tenemos en cuenta el distanciamiento que el joven autor de los años cuarenta habría de sentir con respecto a lo que, en el campo de la novela, se había realizado en las décadas anteriores a los inicios de su actividad. Esa, y no otra, fue la función literaria del feísmo de los años cuarenta: proporcionar un modelo relativamente estereotipado. No llegó a aglutinar en torno a sí, sin embargo, a la juventud creadora. Solo a partir de los años cincuenta la crítica comenzará a hablar de tendencias definidas (neorrealismo, realismo social), operación imposible si ha de intentarse en la década anterior (ni siquiera puede entenderse como tal la provisional organización que he establecido anteriormente: anecdotismo y tremendismo, con derivaciones secundarias), dada la singularidad de los caminos elegidos por los autores que escribieron en esos años de posguerra. No hay entre ellos, efectivamente, afinidad generacional (y eso a pesar de que la reciente guerra parecía ser acontecimiento suficientemente relevante como para crearla), ni tampoco propósito claro de plantearse objetivos comunes, elementos ambos que sí iban a estar presentes con toda nitidez en el grupo de autores jóvenes que comenzarían a publicar en los años cincuenta.

Los primeros fogonazos del éxito dejarían su lugar, en el caso del tremendismo, a rechazos cada vez más enérgicos que, curiosamente, pese a su mayor peso específico, no impedirían a la tendencia el mantenimiento en sus posiciones. Las censuras arreciaban y, sin embargo, la influencia del tremendismo no amenguaba, quizá porque carecía de alternativa sustitutoria. Hasta la irrupción de los jóvenes neorrealistas en el ámbito de la novela española, la situación se mantuvo en esos términos.

1.4.   Tremendismo y anecdotismo venían a confluir, no intencionadamente, en un punto común: la intrascendencia social y, lo que es más importante, literaria, a salvo los logros positivos alcanzados por uno y otro. El relato anecdótico *distraía* (o podía distraer), y de la mayor o menor habilidad del autor dependía la validez del resultado final. Una novela importante en su momento (1944), *Mariona Rebull*, de Ignacio Agustí, podría considerarse en su planteamiento (la lucha de un hombre por hacerse, mediante su propio esfuerzo, con un puesto reconocido en la sociedad, y las posteriores vicisitudes sentimentales del personaje) como una novela anecdótica, a no ser por el talento narrativo de un autor que (defectos perceptibles al margen) consigue transmitir, con la base de molde tan poco original, una visión (discutible, si se quiere) de las relaciones sociales de la Barcelona de una determinada fase histórica.

Algo parecido puede señalarse con respecto al relato tremendista: únicamente el estilo literario (prodigiosamente controlado, en su desarrollo y efectos) de Cela permitiría leer un cuento como «Marcelo Brito» o una novela como *La familia de Pascual Duarte* sin esbozar una distanciada sonrisa de escepticismo ante la innecesaria (e inverosímil de todo punto) sucesión de horrores que se nos brindan como si de la cosa más natural del mundo se tratara.

Alejamiento, pues, de la realidad (la que vivimos cotidianamente, no la *realidad* ficticia que la literatura nos sugiere que aceptemos), tanto en el caso del tremendismo como en el del relato anecdótico. La llegada al mundo de la novela de Ignacio Aldecoa, Ana María Matute, Carmen Martín Gaite, Rafael Sánchez Ferlosio, etc. (e inclúyase aquí, con las pertinentes reservas, al Cela de *La colmena*), supondría, a principios de los años cincuenta, el golpe de timón que seguramente necesitaba la literatura española por aquellas fechas.

2. *El cuento en los años cuarenta*

La falta de orientación definida que he registrado hasta aquí al tratar del relato largo es padecida, exactamente en la misma medida (si no en mayores proporciones, dado el secular carácter aislacionista del género cuentístico), por el relato breve. Si la novela española de los años cuarenta es poco más que un catálogo de nombres independientes que sólo muy dificultosamente es posible situar (y de manera muy vaga) en corrientes diluidas en su propio nombre (tremendismo, anecdotismo, novela falangista), el cuento enmarcado en el mismo período sufre una dispersión más acentuada todavía en razón del medio en que se desarrolla y que no siempre (al contrario de lo que sucede con la novela) es la edición en forma de libro.

La carencia, todavía, de un catálogo exhaustivo del cuento contemporáneo en España es un serio obstáculo, por el momento, para la valoración precisa del género en unos años cuarenta en que *no es que no se escriban cuentos*, sino que apenas se editan en libros. El escaso número de estos (no muchos más podrían añadirse a los enumerados por Joaquín Millán Jiménez en un prometedor artículo [2], primera tentativa de exploración de un terreno casi incógnito) no debe inducir a engaño sobre la importancia del cultivo del relato breve en aquel tiempo. El dato, ciertamente, se alza como indicio de unas determinadas preferencias (hacia el relato extenso) que, desde siempre, han acompañado al devenir vital del cuento literario. Pocos fueron entonces (y pocos seguirían siendo en años venideros) los narradores volcados preferentemente en el cuento. Pero su atracción (y, al tiempo, la de las editoriales) por la forma narrativa extensa no implicó un descuido de la breve: muchos de esos autores, en efecto, publicaron cuentos, que, aun no habiendo sido recogidos en libro, han de contabilizarse en el cómputo global de los años cuarenta. El rastreo exhaustivo de las revistas oficiales y de los periódicos que tuvieron a bien acoger la presencia de los cuentistas en sus páginas, permitiría forjarse una idea más cabal de lo que el cuento fue en aquella época. Encontraríamos así un buen número de nombres a los que, a juzgar por su trayectoria literaria

---

[2] «El cuento literario español en los años 40. Un género a flote», *Las Nuevas Letras* (Almería), núm. 8 (1988), pp. 80-86.

posterior, no sería lógico calificar como cuentistas (publicarían relatos breves muy esporádicamente), pero que, en todo caso, sí fueron autores de cuentos.

De todas formas, el paralelismo novela/cuento sería en este tiempo quizá más inexacto que en ningún otro de los que aquí se analizan. A diferencia de la cuantiosa producción novelística (la calidad no siempre se empareja con la cantidad) de los años cuarenta, el cuento tiene en estos una presencia menos notable. Tampoco la clasificación establecida para la narrativa extensa en este decenio tendría validez en lo que se refiere al cuento, enteramente volcado, por entonces, a la anécdota (lo anecdótico, que en una novela puede constituirse en un lastre insufrible, en un cuento no solo puede, sino que debe convertirse en elemento básico). En fin (pero seguramente no es esta la última distinción que cabría realizar), no son comparables los respectivos radios de acción e influencia, importantes en el caso de la novela pero poco significativos en el del cuento, siempre considerado género menor o eslabón previo para el dominio de la técnica del relato extenso.

Apurando, sin embargo, las posibilidades del ejercicio comparatista, quizá cabría hablar, frente a la ausencia de fantasía en la novela de aquel tiempo, de un mayor gusto por ella en las figuras más representativas del cuento de los años cuarenta. José María Sánchez Silva firmó relatos breves como «El que descendió del castillo», «Profeta de incógnito», «Sueño de la mujer sin cara» —los tres incluidos en el libro *No es tan fácil* (1943)—, o «La señal» (en *La ciudad se aleja*, de 1946), aisladas ráfagas de ficción fantástica en una posguerra narrativa marcada por el realismo, también puesto en entredicho por las abundantes notaciones antirrealistas constatables en la producción del más prolífico cuentista de entonces, Tomás Borrás.

3. La narrativa en los años cincuenta.
El neorrealismo

Amparados en no pocos casos por publicaciones apertu-
ristas dependientes de la estructura jerárquica de Falange
Española (*Alcalá, La Hora, Juventud, Haz*), hacia finales de
los años cuarenta y principios de los cincuenta se dieron a
conocer unos jóvenes narradores que, vinculados inicialmente por lazos de amistad, terminaron formando un grupo
generacional relativamente compacto, al menos si lo com-
paramos con la inexistencia de interconexiones entre los
autores de la etapa precedente.

Este movimiento neorrealista (que no llegará a ser
socialrealista, porque no tuvo por objeto anteponer la ética
a la estética) planteó el relato como un giro en el contenido
con respecto a lo que caracterizaba la literatura narrativa
anterior: lo anecdótico, sin más trascendencia que la que el
creador consiguiera aportar con su talento, dejaba paso a la
expresión de una realidad viva, localizable con solo caminar
por cualquier calle de un pueblo o ciudad española. Así era
como Aldecoa ponía en pie, hacia 1950, sus entrañables
personajes, tan verídicamente humanos como verosímilmen-
te literarios: aprendices de cobradores, marineros, cazadores
de víboras y ratas, soldados, toreros, feriantes, camioneros...
Se iniciaba la incorporación del hombre real, con sus
problemas cotidianos, a la literatura narrativa española.

Determinados factores exógenos favorecían la creación
de este nuevo tipo de relato: la incorporación de España a
los organismos internacionales y la firma de importantes
acuerdos con los Estados Unidos y la Santa Sede sellaban,
en esos primeros años cincuenta, el término del aislamiento
político y, con él, del cultural. El autodidactismo de los
narradores de la década de los cuarenta (autodidactismo en
buena medida favorecedor de la independencia de sus
respectivas andaduras) cedía paso a una formación literaria

más completa, que incluía como componente adicional, y literariamente muy significativo, el conocimiento de las fuentes culturales extranjeras, que habían permanecido prácticamente vedadas para el escritor precedente. La guerra civil, por otra parte, había dejado de ser un fragmento de la Historia incorporado a la propia carne (como tal habría de verla necesariamente un creador, el de los años cuarenta, combatiente en ella en la mayor parte de los casos), para transformarse en un episodio inscrito en la memoria lejana, aunque no olvidada (los jóvenes novelistas la habían vivido, por razones de edad, únicamente como espectadores).

La conciencia de grupo se plasmó, en Aldecoa, Jesús Fernández Santos, Medardo Fraile, Martín Gaite, Matute, en una aproximación más o menos similar al hecho narrable, a partir de una línea básica de profundización en un realismo que no había de ser meramente estilístico (como de alguna forma es posible interpretar que lo fue el de la narrativa de los años cuarenta), sino cargado de contenido. No se trataba ya de contar una anécdota, sino de relatar sobre realidades existentes, palpables y reconocibles por un lector que no habría de sentirse encerrado en la torre de marfil de la literatura, porque él mismo participaba, con su mirada activa, de la realidad circundante. Los personajes de Aldecoa, como los de *El Jarama*, de Sánchez Ferlosio —la obra que tal vez agrupa en torno a sí (1956) los sentimientos individuales de conciencia generacional del grupo—, no son *literatura* (como tantos del decenio de los cuarenta), sino *vida* reconocible (reconocible, claro está, en aquellos años cincuenta).

El acercamiento a la realidad exigía una elaboración literaria realista que, en esta primera fase (la previa a lo que llamaré *socialrealismo*), antepone siempre los valores artísticos al propósito, poco o nada definido, de crítica social. Realismo, pues, siempre contrapesado por elementos estéticos suficientes en el peor de los casos y excepcionales en los mejores. El neorrealismo narrativo español (coetáneo de otro ilustre neorrealismo, el cinematográfico italiano) admitía, en su relativa uniformidad formal, caminos variados: objetivismo casi fílmico (*Los bravos*, de Fernández Santos), objetivismo casi magnetofónico (*El Jarama*), cotidianidad entrañable (cuentos de Fraile), ternura sublimada en lirismo (Aldecoa), subjetivismo vivo en atmósferas opresivas (*Los hijos muertos*, de Matute), subjetivismo específicamente femenino (*Entre visillos*, de Martín Gaite)... Una variedad temática enriquecedora que el grupo socialrealista que inmediatamente comenzaría a ejercer su actividad perdería, en beneficio de una reiteración, temática y formal, que propiciase (ese era, cuando menos, el objetivo implícito) la toma de conciencia colectiva sobre unos problemas que se juzgaron acuciantes.

La modificación de planteamientos efectuada por el neorrealismo afectaba, con respecto a lo escrito anteriormente a él, más al contenido que a la forma. Esta, en efecto, procedía, en uno y otro caso, del molde realista clásico: siempre será posible, por ejemplo, considerar *El Jarama* no como primer ejemplo de una renovación técnica, sino como último exponente, el más perfecto quizá, del tradicional realismo, nunca más realista que cuando se limita a recoger las inanes conversaciones de un grupo de bañistas domingueros. Eran, en consecuencia, los temas (y la manera de enfocarlos, naturalmente) los que, en unión del cuidado estilístico (otro elemento al que renunció una buena parte de los creadores del socialrealismo), definían la nueva literatura neorrealista.

4. *El cuento en el neorrealismo*

4.1. Con los primeros pasos neorrealistas comenzaba la que habría de ser la *edad de oro* del cuento contemporáneo español. Nunca en nuestro siglo, antes o después, alcanzó este género una difusión tan considerable; nunca se valoró (por los creadores, por el lector y también por los editores y responsables de publicaciones periódicas) en tan alto grado; nunca, tampoco, la nómina de cuentistas, permanentes u ocasionales, sería tan nutrida.

Editar un libro de cuentos ya no era tarea imposible (al historiador puede parecerle que casi lo era en los años cuarenta). Ya no resultaba indispensable que fuesen publicaciones oficiales (que no tenían finalidad lucrativa) las que acogieran al cuento en sus páginas, porque existía un número suficiente de revistas que le prestaban su apoyo. El cuentista ya no era la equivalencia literaria de la voz clamante en el desierto de la incomprensión, sino un autor que se dirigía a un cierto público, mucho menos numeroso, desde luego, que el que prestaba su tiempo a la novela. La menguada gratificación que recibía el autor de un cuento al entregar su original a la publicación correspondiente podía convertirse en una moderadamente sustanciosa suma de dinero si su trabajo se veía galardonado con alguno de los premios que al efecto empezaron a convocarse (Sésamo, Leopoldo Alas, luego el Hucha de Oro). La dignificación del género era, en los años cincuenta, un hecho.

La posibilidad de condensar en un cuento aquella instantaneidad que a la extensión de la novela puede escapársele, fue aprovechada al máximo por los creadores neorrealistas, casi todos los cuales simultanearon la práctica de ambos géneros, sin perjuicio de ninguno de los dos: Fernández Santos publicó en la etapa que comento dos novelas y un libro de cuentos, *Cabeza rapada*, que habría de ser considerado como modelo característico de la escritura neorrealista; Matute vio editadas cuatro novelas (cinco si incluimos en la década el año 1960), pero también dos libros de cuentos; es más, los balances personales de Aldecoa y Martín Gaite hasta 1960 registran un predominio cuantita-

tivo del cuento en el caso de la segunda y un equilibrio en el
del primero (a partir de esa fecha, Aldecoa habría de
centrar su actividad, de manera casi absoluta, en el relato
breve).

Era la facilidad que el género cuentístico ofrece para
captar la instantaneidad cotidiana lo que sedujo a esta joven
generación. La desmesura tremendista alejaba a un lector
que no era capaz de identificarse con los seres y actos
anómalos que tan reiteradamente mostraba ese tipo de
relato. En tal sentido, la palabra *hiperrealismo*, como referen-
te de las artes plásticas, sería bastante adecuada para
señalar cierto paralelismo: un cuadro hiperrealista resulta, a
nuestros ojos, tan exageradamente real, que preferimos una
realidad más imperfecta, más matizada, más rica en sugerencias. Tampoco el anecdotismo acrónico, que igual podía
valer para los años cuarenta que para el final del siglo
pasado, resultaba de interés para un lector seguramente
deseoso por aquel entonces (en los años sesenta habrían de
variar muchas cosas en el gusto literario) de que la narrativa
reflejara la realidad que él vivía todos los días.

¿Se interesó, pues, el lector de los años cincuenta por la
cuentística del neorrealismo? ¿Explicaría ese interés la proliferación de premios de relatos breves, la generosa inserción
de estos en publicaciones periódicas, el interés de las editoriales por el género? ¿O (una dosis razonable de pesimismo
escéptico ha de acompañar siempre la tarea del historiador)
el proceso fue precisamente el contrario: todos esos elementos pudieron apoyar una creación que de otro modo habría
seguido moviéndose en el vacío del silencio?

4.2.   Si admitimos la existencia de una relación entre la
abundancia de antologías (destino último al que parece
condenado todo cuento que se precie) y las apetencias de un
público que puede ver en ellas un medio relativamente fácil
de acceder a textos que en su integridad podrían interesarle
menos, habrá que asumir el hecho de que, a finales de los

años cincuenta, ese potencial lector de cuentos *estaba ahí*. A él se dirigieron editoriales y antólogos que, de esta forma, dejaban constancia de la vitalidad del género cuentístico, que hasta entonces deambulaba, un tanto fantasmagóricamente, por revistas, periódicos y algún que otro libro.

El rigor histórico obliga a recordar la existencia de la olvidada antología *Cuentistas españoles de hoy*, realizada en la madrugadora fecha de 1944 por Josefina Romo[3]. Por el libro desfilaban veintinueve autores de muy variada condición: junto a cinco de las mujeres más renombradas en el panorama literario del momento (Carmen Conde y Concha Espina entre ellas), se encontraban nombres consagrados (Azorín, Borrás, Joaquín de Entrambasaguas, Wenceslao Fernández Flórez, Ramón Ledesma Miranda, Alfredo Marqueríe, José María Pemán, Samuel Ros, Zunzunegui, Sánchez Silva, ya Cela) y autores que aún podían considerarse poco conocidos (Eusebio García Luengo, José Suárez Carreño, Eugenia Serrano).

En aquellos años cuarenta, Federico Carlos Sainz de Robles firmaba dos antologías de cuentos destinadas a correr muy diferente suerte: una de ellas (con algunos nombres de la posguerra incluidos) conocería varias ediciones hasta los años sesenta[4], mientras que la otra[5], exclusivamente dedicada a figuras femeninas, ni siquiera quedaría registrada en futuros catálogos.

La antología publicada por Isabel Calvo de Aguilar (una autora especializada en novelas comerciales de escaso hálito estético) pretendía, precisamente, ofrecer en 1954 un panorama exhaustivo (en el que, desde luego, la mayoría de las que *estaban* no *eran*) de la literatura femenina, recogiendo para ello textos de 85 mujeres, casi todas ellas firmantes de

---

[3] Madrid, Febo.
[4] *Cuentistas españoles del siglo XX*, Madrid, Aguilar, 1960, 3.ª ed.
[5] *Cuentistas españolas contemporáneas*, Madrid, Aguilar, 1946.

un cuento representativo de su producción. El libro [6], así, llegaba a convertirse en una auténtica antología del cuento escrito por mujeres en aquella época.

La fiebre antológica iba a alcanzar extremos muy favorables para el relato breve a finales del decenio. Pedro Bohigas no llegaba demasiado lejos en su selección de *Los mejores cuentistas españoles* [7]. Zunzunegui, Ros, Halcón, Marqueríe, Cela y Laforet eran los únicos nombres de la posguerra que, en 1958, introducía el antólogo en sus dos volúmenes, dedicados a la historia del cuento español, desde sus antecedentes medievales. De todas formas, el prólogo evidenciaba un cierto retraso con respecto a la evolución, por aquellas fechas, del género: Bohigas, en efecto, anotaba «la presencia constante del *yo*» por encima del «propósito de reflejar el mundo objetivo», como posible común denominador de los cultivadores del cuento, cuando este circulaba precisamente por el camino opuesto.

Criterio muchísimo más renovador mostraba Carlos de Arce Robledo en su antología [8] (también datada en 1958), en la que era de notar la falta de concesiones a la tradición: prácticamente ninguno de los 37 autores seleccionados podría considerarse como habitual en los repertorios más divulgados, y creadores aún poco conocidos convivían en las páginas del libro con otros que ya nunca lo serían. El cuento más joven recibía así una especie de espaldarazo alentador, si bien no definitivo.

Sería la muy difundida antología de Francisco García Pavón [9] la que en 1959 daría a conocer al lector interesado la existencia en España de un número considerable de cuentistas de interés. El libro de García Pavón, precedido de

---

[6] *Antología biográfica de escritoras españolas*, Madrid, Biblioteca Nueva.
[7] Madrid, Plus Ultra.
[8] *Cuentistas contemporáneos*, Barcelona, Rumbos.
[9] *Antología de cuentistas españoles contemporáneos (1939-1958)*, Madrid, Gredos.

un breve prólogo reivindicatorio, venía a ser una llamada de atención que (quizá solo por coincidencia) llegaba, además, en el momento oportuno.

5. La narrativa en los años cincuenta. El socialrealismo

A finales de la década de los cincuenta, un grupo más inconformista que el del neorrealismo había publicado ya algunas de sus obras narrativas más contestatarias. Los jóvenes socialrealistas (Armando López Salinas, Jesús López Pacheco, Antonio Ferres, José María de Quinto, entre otros) llegaban más allá que sus compañeros del neorrealismo: su propósito era convertir la literatura en arma social y hasta política. Sus aspiraciones tenían un carácter tan inmediato (por la vía de lo que podríamos denominar *literatura de urgencia*), que no estuvo en su mano percatarse de los abundantes riesgos que suponía la absorción de los criterios estéticos por los políticos.

El utópico objetivo del socialrealismo era acceder a un lector que en realidad no leía. Entonces, como ahora, los libros eran comprados no por el obrero a quien aquellos escritores de urgencia aspiraban a redimir, sino por una burguesía cultivada que leía las novelas sociales que se le ofrecían exactamente de la misma forma en que lo hacían los lectores del tremendismo: con un distanciamiento poco menos que absoluto. El propósito inmediato fracasaba, en consecuencia, ya desde sus inicios: ni el obrero o campesino tomaba conciencia de su situación de inferioridad, puesto que no leía las novelas en cuestión, ni el lector no obrero se sentía captado por una narrativa que le hablaba de problemas que no eran los suyos. El ámbito del potencial lector se reducía considerablemente: solo intelectuales y estudiantes comprometidos con determinadas posturas ideológicas ha-

brían de ser los receptores del socialrealismo, que, no hace
falta señalarlo, ni siquiera se aproximó a su imposible
objetivo último: el cambio del sistema político.

Y, sin embargo, los apoyos con que su desarrollo contó
no fueron escasos. Grupos políticos (la «operación realismo»
fue fomentada por el Partido Comunista), órganos de
expresión favorables (*Acento Cultural*, otra revista de Falange), editoriales más que generosas con la admisión de
originales que en tiempos de mayor pureza en la valoración
del hecho literario no habrían traspasado la barrera impuesta por el asesor literario menos severo, críticos serios y
responsables que, no obstante, supieron ver oportunamente
el peligro de mimetismo... Y, como complemento, los ecos
que en el extranjero habían favorecido antes el ascenso al
pedestal de un novelista ya valioso y comprometido (antes
del viraje impuesto por *Tiempo de silencio*) con la literatura
realista: Juan Goytisolo.

Otros elementos propiciaban la cohesión del grupo: las
relaciones de amistad entre sus integrantes y el relativo
apoyo teórico brindado por comentarios críticos y reseñas,
y por los propios textos elaborados por alguno de los
participantes de la aventura, a uno de los cuales, Alfonso
Sastre, hay que atribuir la expresión directa de la idea de
supremacía de lo ético sobre lo estético.

Con respecto al neorrealismo, creo que podría señalarse
una diferencia fundamental en la práctica narrativa del
socialrealismo: lo que en aquel eran aproximaciones existenciales, válidas para cualquier tiempo y lugar (propias, en
definitiva, de la condición humana), en este era un acercamiento social, de urgencia en el espacio y la cronología:
España, años cincuenta. Ello, y no solo la distinta calidad de
los textos de uno y otro grupo (en conjunto es mayor, sin
duda, la de los neorrealistas), explica que hoy sigan interes-
ando los del primero, y únicamente a efectos históricos los
del segundo, excesivamente constreñidos por su vinculación

(que sus autores buscaron voluntariamente) con una determinada época.

Esa existencialización de los neorrealistas contribuye a la intemporalización del texto, fijado como obra perenne que puede ser leída, sin detrimento de su valoración, varias décadas después de haber sido escrita. Por el contrario, la rigidez de los planteamientos socialrealistas (rigidez patentizada en la reiteración temática, reducidos a uno, en último término, todos los problemas: la injusticia social) favorecería, a no mucho tardar, la caducidad de las obras escritas bajo ese signo.

Por lo que afecta a la historia de la narrativa contemporánea, el socialrealismo supuso un notable frenazo (si no un franco retroceso) en el proceso de avance iniciado por el neorrealismo. Este se había acercado a la realidad; el socialrealismo redujo la misma a unas variables socioeconómicas que marginaban aspectos no menos apreciables de la vida del hombre o de la nación. Los socialrealistas, como los seguidores del tremendismo, escogían los aspectos menos nobles de las estructuras sociales (ignorando la existencia de otros de diferente carácter), hasta el punto de repetir con exacerbante monotonía los enfoques idénticos de hechos similares: eran aquellos los años en que cada sector del trabajo encontraba su representación novelesca (*La mina*, de López Salinas; *La piqueta*, de Ferres; *La zanja*, de Alfonso Grosso; *Funcionario público*, de Dolores Medio; *Taller*, de Mercedes Ballesteros), y en que la literatura no social corría el grave riesgo de ser objeto de un anatema sin posibilidad de remisión.

Desde el punto de vista técnico, el retraso que supuso la escritura socialrealista fue claro (alguno de sus logros positivos, sin embargo, no es posible olvidarlo: ahí queda, por ejemplo, *Central eléctrica*, de López Pacheco). Mientras que en Europa la *nueva novela* francesa (el *nouveau roman*, que hacía hincapié precisamente en la falta de compromiso de la

literatura con la política) imponía su renovadora ley, mientras que en la Unión Soviética comenzaba a cuestionarse la
validez del realismo socialista (Andrei Siniavski había publicado en 1959 su requisitoria contra aquel, escrita entre 1956
y 1958, es decir, los años de auge de nuestro socialrealismo),
en España un neonaturalismo arcaico dictaba normas y
dictaminaba exclusiones.

6. *El cuento en el socialrealismo*

Pese a todo lo dicho, al socialrealismo cabe asignarle un
papel apreciable en el desarrollo del género cuentístico. Uno
de los temas a debate en el frustrado Congreso Universitario
de Escritores Jóvenes (de inspiración tan intelectual como
política) que debiera haberse celebrado en 1956, era precisamente «el cuento como forma literaria» y «su importancia
en el momento actual». Más significativo que este mero
enunciado es el hecho de que los organizadores reconocieran
el «creciente interés por el cuento en estas generaciones» (las
jóvenes, se sobrentiende) [10].

Los mismos motivos que atrajeron la atención de los
neorrealistas fueron los que impulsaron a los escritores del
socialrealismo a orientar sus esfuerzos hacia el género del
relato breve, apropiado para captar la instantaneidad, la
escena reveladora, la fugaz estampa que, solo con su presentación, podía proporcionar una idea clara de la situación de
injusticia social de que eran víctimas los personajes que
protagonizaban este tipo de cuentos. La diferencia con
respecto al grupo anterior a ellos sería, en este sentido, la
intensificación de los datos sociales, el mayor hincapié en los
problemas de pobreza y opresión económica. Y (este fue el

---

[10] Véase Santos Sanz Villanueva, *Historia de la novela social española (1942-
1975)*, Madrid, Alhambra, 1980, p. 104.

error) también el rebajamiento del nivel lingüístico del texto, más para hacerlo accesible a un lector poco culto que para adecuarlo al registro del habla del personaje en cuestión. Con el lenguaje, otros elementos no menos importantes sufrían deterioro: las posibilidades de sugerencia que un texto debe ofrecer, la anulación del lector como intérprete en un relato en que todo se le da ya hecho, la variedad de los datos en juego...

La novela, como género que permite la exposición y desarrollo de tensiones sociales tratadas con minuciosidad, era cauce ideal (mucho más indicado que la poesía, probablemente algo más que el teatro) para dar forma a las preocupaciones socialrealistas. Pero también el libro de viajes (siempre centrado en las tierras más deprimidas: las Hurdes, Almería) y el cuento resultaban medios apropiados para la denuncia social. En el caso del segundo, bastaba con relatar la venganza que un grupo de personas llevaba a cabo sobre el dueño de una tienda de comestibles que había hecho fortuna en la posguerra y que ahora era quemado dentro de su coche, o con retratar en plena angustia a una familia amenazada de expropiación y crear una mínima tensión dramática, para construir un cuento que podía o no ser apreciable, pero que, en todo caso, llevaba inserta una carga crítica evidente en una primera lectura. La elección del tema (los dos ejemplos citados proceden de *Las calles y los hombres*, libro de José María de Quinto publicado en 1957) no prejuzgaba la calidad del cuento, pero sí obligaba a la sujeción a determinados patrones: miseria, injusticia social, simplismo psicológico (el explotador era caracterizado como un repertorio de defectos; el explotado resultaba vestido con casi todos los ornatos de· la perfección moral) y, eso sí, las buenas intenciones que empiedran el camino del infierno literario donde tanta mediocridad purga sus penas. No toda la producción socialrealista merece, por descontado, ser pasto de las llamas purificadoras, y, en cualquier caso, repito, durante el apogeo de la misma la recuperación del cuento iniciada por los neorrealistas consiguió mantener sus posiciones.

7. *Los independientes y un cierto apoyo editorial*

7.1. Si en los años cuarenta todos los narradores son independientes, en el sentido de que no forman grupos definidos, tendencias que el crítico pueda diferenciar con claridad, ni presentan cohesión temática o formal en sus obras, la década de los cincuenta ofrece, como hasta aquí se ha visto, un panorama bien diferente, tanto en lo que se refiere a la orientación neorrealista como en lo relativo a la socialrealista; la mayoría de los miembros de una y otra estaban unidos por lazos de amistad y, en el caso de los que forman la segunda, también por comunes objetivos, sociales o políticos.

Al margen de este planteamiento colectivo quedó, sin embargo, un buen número de autores que sostuvieron su propia línea de continuidad creativa. Tal es el caso de Miguel Delibes, José Luis Castillo-Puche, Mercedes Salisachs, Zunzunegui o Elena Quiroga (entre otros autores, por supuesto), que comenzaron o prosiguieron sus respectivas andaduras al margen de las corrientes señaladas. Su dedicación preferente a la novela (solo esporádicamente han penetrado en el terreno del cuento) ha permitido que sus nombres sigan registrados, en la historia de la narrativa contemporánea, como personalidades independientes.

7.2. El cuento no corrió la misma suerte (nunca la fortuna crítica de este género pudo competir con la que ha tenido la novela), y ello explica el relativo olvido, entre lectores poco asiduos al trato con la literatura, de nombres como los de García Pavón, Fraile, Jorge Ferrer-Vidal o Alonso Zamora Vicente, escritores todos ellos en cuya

producción la novela fue lo accesorio y el cuento lo fundamental. En esos años cincuenta en que el cuento alcanzó un
desarrollo inusitado en España, los autores citados recibie-
ron la llamada del género, y a esa vocación se dedicaron,
con ocasionales incursiones en el campo de la novela, desde
entonces hasta hoy. Tan narradores como los novelistas, los
cultivadores del cuento se entregaron a él sabiendo de
antemano que el reconocimiento no les iba a ser concedido
en dosis tan completas como las administradas por la crítica
a los creadores dedicados al género grande.

Los cuentistas que inician su labor en los años cincuenta
vieron alentada su carrera por circunstancias especialmente
favorables (y ello al margen del impulso último del socialrealismo), al frente de las cuales habría que situar la
actividad editorial (de nuevo cabría plantearse el problema
de si esta es previa a la demanda del lector, o es posterior a
ella).

Una benefactora editorial, la barcelonesa Roca (con
Esteban Padrós de Palacios a la cabeza), publicó desde 1956
(*Doce cuentos y uno más*, de Lauro Olmo) hasta bien entrada
la década de los sesenta decenas de libros de relatos breves,
bajo la advocación de Leopoldo Alas, ilustre cuentista del
siglo XIX que daba nombre a la nueva colección y, con ella,
a un premio que creó escuela. Casi todos los cuentistas
españoles del momento y alguno hispanoamericano (Mario
Vargas Llosa) publicarían sus originales en esa editorial, sin
cuyo patrocinio tal vez muchos de ellos no habrían visto la
luz, dado el recelo comercial que, como invariable constante, ha acompañado el devenir vital del género.

8. La narrativa desde Tiempo de silencio hasta el fin de la Era de Franco

Más efímera que la del tremendismo fue la existencia del
realismo social. Ya en los mismos años cincuenta algunos de

los narradores próximos a él parecían buscar fórmulas literarias que resolvieran el anquilosamiento en que la novela española comenzaba a estancar su realismo. Con timidez (Dolores Medio en *Funcionario público* y *El pez sigue flotando*) o decididamente (Jorge Cela Trulock en *Las horas*), algunos autores revestían ya el tema social de una forma y un lenguaje renovadores que hacían presagiar (pero nadie parecía percatarse de ello) el próximo final del socialrealismo.

Habría de surgir *Tiempo de silencio* (1962), de Luis Martín Santos, para que el panorama experimentase la transformación que ya iba resultando de todo punto necesaria. Ese año marca, ciertamente, el final de una etapa, la del predominio socialrealista, pero aún habría que esperar un tiempo para certificar el nacimiento de otra nueva. A la conmoción resultante de la lectura de obra entonces tan innovadora siguió un largo período de desconcierto, durante el cual la novela española parece ignorar cuál había de ser el camino que recorrer en el futuro. Aparecerían aún algunas obras rezagadas, pero el agotamiento de la temática social era evidente desde el momento en que Martín Santos había dado a conocer su novela, poco original en su argumento, pero extraordinariamente rica desde el punto de vista formal. Después de *Tiempo de silencio* no era posible continuar escribiendo en la misma línea realista que tan longeva se había venido mostrando.

Algunos autores socialrealistas no volvieron a publicar; otros no recuperarían la voz hasta los años setenta; los menos, en fin, reaccionaron tras la obligada pausa reflexiva. Este último sería, por ejemplo, el caso de Juan Goytisolo, que con *Señas de identidad* (1966) se distanciaba ya claramente de su producción anterior. El desconcierto comenzaba, a partir de esa fecha, a superarse, pero para generar otra desorientación: la del crítico e historiador que, acostumbrado a la homogeneidad creativa de los años cincuenta, difícilmente entreví notas comunes en la literatura narrativa posterior —desde finales de los sesenta hasta al menos el término de la Era de Franco (1975).

La individualidad exaltada, el subjetivismo, la renuncia a ataduras de cualquier tipo (generacionales, estilísticas, temáticas), caracterizan la producción novelística posterior a *Tiempo de silencio*, producción convertida, así, en un repertorio de nombres engarzados por datos vagamente conexos: el interés por el experimentalismo (casi por completo ausente hasta entonces), la recuperación de la fantasía, el retorno al yo tras la excursión por la realidad circundante que sedujo al neorrealismo y al socialrealismo.

La década de los sesenta se iniciaba con los primeros asomos de la presencia hispanoamericana, que en tan gran medida habría de influir sobre nuestros escritores y, muy especialmente, sobre unos lectores entregados a la magia de la lectura ofrecida por un lenguaje rico en posibilidades (el de Vargas Llosa, primero; posteriormente, los de Julio Cortázar, Gabriel García Márquez y otros). España entraba en una etapa de extraordinaria expansión económica que invalidaba, por si aún quedaba alguna duda, los últimos esfuerzos del socialrealismo residual por transcribir una supuesta realidad social que ya no era la empíricamente constatable. La Ley de Prensa (1966) promulgada por Manuel Fraga Iribarne abría las ventanas de una habitación excesivamente cerrada a los vientos de la renovación y un tanto cercada por las requisitorias censoriales, y, en fin, la masiva afluencia de turistas revolucionaba, dentro de un orden, las costumbres morales españolas. La España de la alpargata, retratada con tenaz empeño por el socialrealismo, había cedido el paso a la España del vehículo utilitario.

La literatura no podía quedar al margen de un proceso histórico imparable. Afloraron por doquier, desde el término de la llamada *década prodigiosa*, los narradores con voz personal, modelada sobre la base de multitud de lecturas (entre ellas, las que le habían sido negadas al autor de los años cuarenta y las que, por razones diversas, no había asumido el de los cincuenta) y (decisiva influencia esta) la visión de innumerables películas de todos los tiempos. Fueron aquellos inolvidables años en que todo había de llevar la etiqueta de la novedad: *nueva frontera* en la política estadounidense, *nouvelle vague* (nueva ola) en el cine francés, *nova cançó* en Cataluña, *nueva ola* en la novela nacional. La narrativa absorbió con avidez esos aires de novedad, de cambio y hasta ruptura, desembocando no pocas veces en el vanguardismo más radical: el discurso de *El mercurio*, una importante novela publicada por José María Guelbenzu en 1968, quedaba desintegrado, en determinados momentos, en grafemas carentes de sentido. Todos los atrevimientos eran posibles a partir de esos presupuestos de libertad creativa: páginas en blanco, secuencias ininteligibles o fragmentadas, incluso con complementos gráficos (*Heautontimoroumenos*, novela de José Leyva aparecida en 1973). Las restricciones habían desaparecido para el género, y este se sentía liberado de toda ligazón, incluida (y en lugar preferente) la del realismo.

9. *El cuento desde los años sesenta hasta 1975*

¿Y el cuento? Hundidas las bases teóricas del realismo social, era inevitable la lesión en sus realizaciones prácticas susceptibles de sobrevivir al cambio. Y una de ellas era precisamente el cuento, tomado como género idóneo para la expresión de aspectos sociales. La desorientación a que me he referido dañó tal vez al cuento en mayor medida que a la novela, porque esta contaba con más recursos para recuperar terreno. La novela se había aventurado por el camino de un experimentalismo que habría de subsistir hasta aproximadamente la mitad de la década de los setenta, en coincidencia casi exacta con el tramo final de la Era de Franco. Las especiales características del género cuentístico no favorecían, sin embargo, la incursión en territorios alejados del realismo (afirmación que no implica, naturalmente, rechazar las posibilidades que el cuento ofrece para desarrollar argumentos no realistas o fantásticos). El relato breve se distanciaba, de nuevo, de la novela, y volvía, en cierto modo, a alguno de los puntos de partida (aunque con las posiciones sensiblemente mejoradas) de los años cuarenta: la dispersión de autores, cada uno con su propia praxis narrativa y al margen de las agrupaciones que habían caracterizado la vida literaria de la década de los cincuenta.

La libertad que la novela había aceptado como presupuesto básico desde la publicación de *Tiempo de silencio* permitía el avance de una nueva generación de cuentistas cuyo único nexo visible sería la proximidad de las fechas de nacimiento (¿podríamos aceptar ya la existencia de la *generación del 68*?), amén de la notable presencia de voces femeninas de interés. Es cierto, sin duda, que desde los años sesenta la novela se cultiva con más asiduidad que el cuento, pero la menor influencia de este en dicha época ha de medirse más atendiendo a criterios cualitativos que cuantitativos: se publican en número no escaso libros de cuentos, pero su eco en el ámbito cultural es menor que el detectado en la década anterior.

Al borde de la conclusión de esta, García Pavón, en el prólogo a su antología, intentaba diseñar algunos caracteres unificadores de la literatura cuentística de aquellas fechas: la falta de fantasía (eran años poco propicios para el alejamiento de la realidad), la ausencia de humor (el realismo social siempre consideró que la literatura no podía ser evasiva, sino que había de cumplir una supuesta función social), la preocupación por el estilo popularista, impuesto por el gusto del socialrealismo, y la presencia aislada de cuentos poemáticos y de carácter intimista, escritos estos últimos por mujeres (Martín Gaite podría representar perfectamente esta línea hacia la interioridad psicológica).

En 1966, el prólogo a la segunda edición de la antología incorporaba algún dato nuevo en la interpretación. Con retraso (tal vez el cuento está obligado a caminar a la zaga de la novela, y de ahí la disfunción cronológica) se percataba el autor del dominio de una prosa funcional al servicio de las ideas. Indicio probable de la inestabilidad permanente del cuento sería el hecho de que de los cincuenta autores incluidos en la primera edición del libro, solo la mitad se mantenía en la segunda, siendo descartados los restantes no tanto con objeto de introducir nombres nuevos cuanto para dar fe de la renuncia de los que ya no figuraban a cultivar un género al parecer poco gratificante.

Quizá una idea de la desorientación que la novela traspasa al cuento por esas fechas la pueda dar el muy diferente carácter de dos antologías publicadas en el mismo año, 1970, pero totalmente distintas. En una de ellas (seguramente a cargo del prologuista, Alfonso Grosso) se mantenía un criterio que, en su aparente eclecticismo, parecía esconder una reivindicación del realismo social y de sus posibilidades de renovación, lo que confería al libro una condición, sumamente interesante, de ejemplificador de tendencias. Se reunían en *Relatos españoles de hoy* [11] tres autores de la generación mayor (Cela, Delibes y García Pavón), tres narradores neorrealistas (Martín Gaite, Matute y Aldecoa), diez sociales (Quinto, López Salinas, Daniel Sueiro, Ramón Nieto, Fernando Quiñones, Juan Eduardo Zúñiga, Fernando Morán, Juan García Hortelano, José Manuel Caballero Bonald y el propio Grosso) y siete innovadores (Juan Benet, Félix Grande, Isaac Montero, Antonio Martínez Menchén, Jesús Torbado, Gonzalo Suárez y Guelbenzu). El claro predominio de los creadores

---

[11] Madrid, Santillana.

sociales, sin embargo, era solo nominal: junto a relatos totalmente adscribibles a los años cincuenta más socialrealistas se encontraban en la antología muestras de renovación de algunos de esos autores, distanciados ya del realismo social de sus primeros pasos.

Variedad de tendencias esta que llevaba a su máxima expresión Félix Grande, antólogo de *22 narradores españoles de hoy* [12], libro en que se daban cita todo tipo de autores, corrientes, edades y estilos. Únicamente el gusto estético del compilador unificaba el variopinto conjunto de textos que se ofrecían al lector de 1970 como ejemplo de las múltiples posibilidades de elección que presentaba el cuento español.

10. *1975-1980: la narrativa del desencanto*

10.1. Paralelamente a la extensión de los aires del desencanto político perceptible en los años inmediatos al final de la Era de Franco (al lector transfiero la responsabilidad de fijar, si procede, los límites cronológicos de los desencantos político y literario), la literatura narrativa pareció dejarse ganar por el clima de decepción. Las supuestas novelas a las que el peso no menos supuestamente implacable de la censura había obligado a dormir el sueño de los justos en algún olvidado cajón, no salían a la luz, seguramente porque nunca existieron en otro lugar que no fuese la imaginación de talentos aún no desvelados. La gozosa exaltación literaria que cabía presumir prodigaría jugosos frutos novelísticos, parecía diluirse en una serie de novelas generacionales, evocativas, testimoniales, eróticas, que poco o nada añadían a los méritos acumulados por la narrativa precedente. Como en los primeros años sesenta, el apagamiento y el desconcierto —que no la falta de produc-

---

[12] Caracas, Monte Ávila.

ción, abundante (como en los años cuarenta), pero no por
ello de calidad sustancial— sucedían a un hecho de repercu-
siones sobresalientes (entonces, la publicación de *Tiempo de
silencio*; ahora, el cambio de régimen político).

10.2.   Para el cuento se abrían de nuevo las puertas del
realismo, solo provisionalmente cerradas para la novela
desde 1962. El experimentalismo al que esta se había visto
abocada tras la obra de Martín Santos no podía ser marco
propicio para determinar los límites formales del género
cuentístico, siempre mucho más afín a la práctica realista
que a la innovación estructural. De este modo, y en buena
medida gracias al impulso de jóvenes aspirantes a novelistas
que, una vez más, volvían a contemplar el cuento como paso
previo en el aprendizaje de las estructuras novelescas,
resurgiría en estos años un relato breve no siempre realista
en su aspecto temático, pero sí en el formal. A la sombra del
realismo renovado —teñido de un neorromanticismo por el
que parecen decantarse las últimas generaciones y algún
nombre de las anteriores: Ferrer-Vidal en *Fueron así tus días y
los míos* (1978)—, realismo renovado por el que optó la
novela española desde 1975 (*La verdad sobre el caso Savolta*, de
Eduardo Mendoza) hasta hoy mismo, el cuento reanudaba
un caminar en realidad nunca interrumpido, pero sí sobre-
saltado por numerosos vaivenes históricos.

Un crítico tan fiable como Darío Villanueva registraba,
en dos de sus resúmenes de la producción narrativa de estos
años (concretamente, 1977 y 1979) un esperanzador resurgir
del cuento y la novela corta [13]. Los términos en que García
Pavón redactaba el prólogo para la tercera edición de su
antología (1976) podrían hacer pensar, sin embargo, que
poco ha variado la situación desde el momento en que el
libro se publicó por primera vez: el lector sigue minusvalo-

---

[13] Véase el libro colectivo *El año literario español. 1974-1979*, Madrid,
Castalia, 1980, pp. 470 y 731-734.

rando el género, y el editor, en consecuencia, no se siente obligado hacia este. Pero un dato positivo certificaba, pese a todo, el mayor interés que por el cuento se constataba en otros medios: los estudiosos comenzaban a prestarle una mayor atención que la que le habían dispensado hasta ese momento. La aparición, dentro o fuera de nuestras fronteras, de diversas antologías (las de Fraile, Sobejano-Keller, Ramón Hernández-Luis González del Valle, por ejemplo), recogen el testigo de aquellas otras (la de Anderson Imbert, por citar una de ellas) ya lejanas en el tiempo.

11. *Conclusión: mirando hacia adelante...*

¿Con esperanza o pesimismo? En noviembre de 1987, Juan José Millás, un narrador salido de la penúltima hornada, trazaba [14] un ilusionante (ojalá no ilusivo) diseño de lo que, en una primera lectura, podría parecer otra etapa de auge del relato breve, marcada por datos como el interés de editores y público, la resonancia crítica, el cultivo abundante del cuento... El hecho de que las referencias del articulista remitan sobre todo al hoy editorialmente favorecido *dirty realism* (*realismo sucio*, última moda norteamericana en materia narrativa) enfría un tanto el posible entusiasmo del estudioso.

Alguno de los participantes en el III Encuentro de Escritores y Críticos Españoles, celebrado en el verano de 1987, mostraba muchas más reticencias ante el futuro del cuento español. Andrés Berlanga, el autor de aquella inolvidable novela que es *La gaznápira* (1984), se manifestaba en términos sensiblemente más pesimistas:

> Desde la hornada de finales de los años 50, con los Aldecoa, Medardo Fraile, Fernández Santos, Daniel Sueiro, Ana

---

[14] «Lo que cuenta el cuento. El auge del relato breve», *El País Domingo*, núm. 107 (1 nov. 1987), pp. 21-22.

María Matute, etcétera, el cultivo del cuento español ofrece un plantel mustio, deslavazado y sin convicción en el género. Tampoco hay ambiente propicio, por parte de críticos o editores. Y, además, la clientela se esfuma. Baste pensar que el 60 por 100 de los españoles mayores de seis años no lee libros [15].

El desconcierto del crítico, heredado tal vez de la absoluta libertad de fórmulas narrativas implantada desde los años sesenta, se mantiene hoy. En una misma revista (número monográfico dedicado a «El cuento hoy en España») es posible leer opiniones tan enfrentadas como las del crítico para quien «va creciendo el interés por el cuento entre escritores, críticos y editores» [16], el historiador de la reciente literatura que opina que «la proyección popular [del cuento] es casi nula» [17] y el escritor de novelas y cuentos que califica como «bastante negativa» la realidad del presente del relato breve en España [18].

Desde hace algún tiempo, cualquier villa que se precie se siente bien predispuesta a convocar un concurso de cuentos que, amén de la dotación económica, puede proporcionar al autor la satisfacción de ver publicado su relato en la próxima antología que edite el ayuntamiento en cuestión. La abundancia, hoy, de certámenes de este tipo no resulta lesiva (más bien al contrario) para género tan necesitado de apoyos. Pero vienen a la memoria del estudioso tanto el desprestigio en que el sistema de premios literarios vino a caer lustros atrás ante la proliferación de galardones conce-

---

[15] «Sobre el cuento», *Ínsula*, núm. 495 (feb. 1988), p. 24.

[16] Anthony Percival, «El cuento en la posguerra», *Las Nuevas Letras*, núm. 8 (1988), p. 87.

[17] Santos Alonso, «Contar, crear libremente», p. 68 del mismo número de la revista.

[18] Fernando Quiñones, «Basta de cuentos», p. 66 del mismo número.

didos a novelas de mediana (en el mejor de los casos) calidad, como el provincianismo (hijo espurio, hoy, de los fervores autonomistas) en que durante tanto tiempo se ha desenvuelto nuestra pasada narrativa. Es prematuro, de cualquier modo, escribir la historia del cuento más reciente. La cronología cribará, y a su transcurso habremos de remitirnos. Hoy por hoy, tal vez la postura más sensata que puede adoptar el crítico con respecto a la situación presente del cuento en España es alinearse con J. M.ª Martínez Cachero, para quien el género, en la actualidad, goza de «una mala salud de hierro»[19]. No es poco, pero ¿es suficiente?

---

[19] «El cuento de nunca acabar», *Saber Leer* (Madrid), núm. 18 (oct. 1988), p. 3. Confróntese con el artículo de M. Fraile, «¿El resurgir del cuento?» (*Ínsula*, núm. 512-513, ag.-sept. 1989, p. 10).

Bibliografía

A) La novela española, 1940-1980

Martínez Cachero, José María: *La novela española entre 1936 y 1980. Historia de una aventura*, Madrid, Castalia, 1986 («Literatura y sociedad», n.º 37). Libro ejemplar por el rigor con que se manejan los muy abundantes datos que sobre la historia de la novela española contemporánea se proporcionan, y por la serena objetividad con que aquellos son interpretados. Debe destacarse su loable esfuerzo por hacer ver que la narrativa de los años cincuenta no parte del vacío absoluto. La obra incorpora una completísima bibliografía, comentada en todos los casos con impecable seriedad.

Sanz Villanueva, Santos: *Historia de la novela social española (1942-1975)*, Madrid, Alhambra, 1980 (dos volúmenes) («Estudios», n.º 6-7). Casi exhaustivo repaso histórico y crítico a la narrativa de características sociales (neorrealismo, socialrealismo y nombres marginales). Incluye un capítulo (el sexto) sobre el relato corto en la generación de los cincuenta.

Sobejano, Gonzalo: *Novela española de nuestro tiempo (en busca del pueblo perdido)*, Madrid, Prensa Española, 1975, 2.ª ed. La organización de la novelística española contemporánea propuesta en este libro ha venido a establecerse como clásica: narrativa existencial (años cuarenta), social (años cincuenta), estructural (años sesenta). En un artículo reciente, el mismo autor propone el concepto de *novela escriptiva* (la que tiene el propio texto como tema) para calificar la producción narrativa posterior.

Soldevila Durante, Ignacio: *La novela desde 1936*, Madrid, Alhambra, 1980 («Estudios. Historia de la literatura española actual»,
n.º 2). Nutrido repertorio de nombres y obras, el comentario de
las cuales revela un muy alto nivel de conocimiento del tema por
parte del crítico.

Villanueva, Darío: *Estructura y tiempo reducido en la novela*, Valencia,
Bello, 1977. Hoy por hoy, este sigue siendo el estudio más lúcido
de algunos de los aspectos formales de la novela española
posterior a 1939. A sus más que notables conocimientos sobre
esta une el autor la solidez de su articulación teórica.

B)	El cuento español, 1940-1980

1. Estudios

Brandenberger, Erna: *Estudios sobre el cuento español actual*, Madrid,
Editora Nacional, 1973. Pese a las insuficiencias de su exposición
histórica (no tiene en cuenta los relatos publicados en revistas y
periódicos, centrándose únicamente en los libros), sus limitaciones voluntarias (estudia la obra de 58 autores), su organización
confusa y un tanto caótica y la subjetividad de sus clasificaciones,
esta obra sigue siendo el único estudio extenso dedicado al
cuento español contemporáneo. Algunas consideraciones disper-
sas y el índice final de obras ofrecen, en cualquier caso, notable
interés.

Tijeras, Eduardo: *Últimos rumbos del cuento español*, Buenos Aires,
Columba, 1969. Las 103 páginas del prólogo a la antología
contienen referencias útiles, aunque limitadas en muchos momentos a la enumeración de nombres y obras. Entre los 20
autores seleccionados con algún cuento propio no figura ninguno
nacido antes de 1925, criterio que obliga a la exclusión de
autores relevantes.

2. Antologías

Fraile, Medardo: *Cuento español de posguerra*, Madrid, Cátedra,
1988, 2.ª ed. («Letras Hispánicas», n.º 252). Pese al título del

libro, entre los 35 autores seleccionados figuran algunos que publicaron su primera obra en los años sesenta, setenta u ochenta. Amén de una bibliografía actualizada, la antología incorpora una valiosa introducción que reelabora dos artículos anteriores de Fraile sobre la evolución del cuento contemporáneo en España.

García Pavón, Francisco: *Antología de cuentistas españoles contemporáneos (1939-1966)*, Madrid, Gredos, 1976, 3.ª ed.; segundo volumen (1966-1980), 1984. La primera edición de esta obra comprendía cuentos de 50 autores, reducidos a 45 en la segunda (1966) y aumentados a 46 en la tercera. El segundo tomo incluye textos de 48 cuentistas; en razón de las fechas en que se enmarcan los mismos, puede considerarse como una antología del cuento español posterior al socialrealismo.

Camilo José Cela, visto por Suárez del Árbol (1944).

Miguel Delibes, caricatura de Ortuño.

Alonso Zamora Vicente

Ana María Matute

Carmen Martín Gaite

Ignacio Aldecoa

Jorge Ferrer-Vidal

Medardo Fraile

Francisco García Pavón

Juan Benet

Jesús Fernández Santos (1981).

Nota previa

Ya se entiende que seleccionar una docena de cuentos de entre los millares de ellos que eran susceptibles de integrar esta compilación, carece de otro valor que no sea el meramente orientativo para cierto tipo de lector que probablemente accede al género por primera vez (y el antólogo bien se daría por satisfecho con tener la seguridad de que no habrá de ser la última). Si la primera limitación del recopilador es la impuesta por su propio criterio personal (subjetivo y, por ello, discutible), otras de no menor envergadura le obligan a moderar los naturales impulsos que le harían aumentar el número de textos elegidos: las lógicas de espacio, amén de las sugeridas por las características del destinatario de la edición. Precisamente son estas últimas las que aconsejan la marginación (por esta vez) de textos especialmente complejos (el nombre de Benet, en este sentido, era, seguramente, la máxima audacia que podía permitirme).

Los restantes criterios son fácilmente imaginables (y su suma quizá permita disculpar las inevitables omisiones): representatividad, calidad literaria, dominio formal del género, variedad temática... Uno en especial he considerado a la hora de seleccionar los cuentos: la posibilidad que estos ofrecían de seguir con ellos los pasos de la narrativa española de los últimos decenios y su variedad de tendencias, que de alguna forma (tal es el propósito, alcanzado o no) se ve reflejada en la presente antología. La abundante presencia de nombres adscribibles al neorrealismo (y la ausencia de un cuento que pudiera representar al socialrealismo) tal vez quede explicada en la Introducción que precede a estas líneas. La última carencia, en cualquier caso, puede ser suplida, si lo considera pertinente el receptor de los textos, con el acceso a las fuentes directas, alguna de las cuales se menciona expresamente en dicha Introducción.

Relaciono a continuación la procedencia de los textos seleccionados, haciendo constar que en aquellos casos en que el cuento conoce dos o más versiones diferentes (con cambios estilísticos más o menos apreciables) he optado por la que mejor se adecuaba a mis preferencias de lector. De más está decir que he corregido las erratas, no siempre mínimas. En este sentido, he de señalar que restituyo en su pureza absoluta la versión primigenia del cuento de Aldecoa, levemente alterado en las ediciones más difundidas, y que alguno de los relatos ha sido sometido a pequeñas correcciones, autorizadas por el autor, correcciones que en nada alteran, claro está, la naturaleza del texto.

Camilo José Cela: «Marcelo Brito», en *Esas nubes que pasan*, Madrid, Espasa-Calpe, 1976 («Austral», n.º 1602), pp. 23-34.

Tomás Borrás: «Así vivimos», en *Azul contra gris*, Madrid, Escritores Españoles Contemporáneos, [1951], pp. 166-175.

Ignacio Aldecoa: «El aprendiz de cobrador», en *Espera de tercera clase*, Madrid, Puerta del Sol, 1955, pp. 57-63.

Ana María Matute: «Vida nueva», en *El tiempo*, Barcelona, Destino, 1966, 2.ª ed. («Áncora y Delfín», n.º 280), pp. 217-226.

Jesús Fernández Santos: «La vocación» (de *Cabeza rapada*), en *Cuentos completos*, Madrid, Alianza, 1985, 2.ª ed. («El libro de bolsillo», n.º 675), pp. 98-105.

Carmen Martín Gaite: «Lo que queda enterrado» (de *Las ataduras*), en *Cuentos completos*, Madrid, Alianza, 1978 («El libro de bolsillo», n.º 704), pp. 53-72.

Miguel Delibes: «El conejo», en *La mortaja*, Madrid, Cátedra, 1984 («Letras Hispánicas», n.º 199), pp. 161-174.

Francisco García Pavón: «El mundo transparente» (de *La guerra de los dos mil años*), en *Cuentos*, I, Madrid, Alianza, 1981 («El libro de bolsillo», n.º 820), pp. 89-100.

Medardo Fraile: «Descubridor de nada» (de *Descubridor de nada y otros cuentos*), en *Ejemplario*, Madrid, Magisterio Español, 1979 («Novelas y Cuentos», n.º 244), pp. 107-114.

Alonso Zamora Vicente: «Con la mejor voluntad (historia patriarcal, naturalmente conservadora)», en *Desorganización*, Madrid,
Espasa-Calpe, 1975 («Austral», n.º 1585), pp. 20-36.

Juan Benet: «Reichenau» (de *5 narraciones y 2 fábulas*), en *Cuentos
completos*, 2, Madrid, Alianza, 1981, 2.ª ed. («El libro de bolsillo»,
n.º 650), pp. 83-88.

Jorge Ferrer-Vidal: «Mozart, K. 124, para flauta y orquesta», en
Fueron así tus días y los míos, Sevilla, Universidad, 1978, pp. 19-28.

Resta decir que las fechas señaladas en el pórtico de cada
cuento no siempre corresponden al año en que se editó el libro en
que se insertó por primera vez, sino que indican el tiempo en que el
texto fue escrito o, en su defecto, conocido inicialmente. Para mi
enfoque histórico, esta segunda fecha me ha parecido más significa-
tiva. Haré, en fin, una última advertencia. El libro de Borrás del
que procede el cuento aquí editado carece de fecha. Joaquín de
Entrambasaguas, en la página 1302 del tomo VI de su obra *Las
mejores novelas contemporáneas*, lo data, sin justificar el hecho, en 1944,
pero lo cierto es que en ese libro sin fecha se dan como publicadas
varias obras de Borrás muy posteriores. Ninguna de ellas, por
cierto, aparecida después de 1950, factor que, junto a la evidencia
proporcionada por el repertorio bibliográfico de la revista oficial
del libro en aquel tiempo (y que da 1951 como fecha de publicación), me permite corregir el error de Entrambasaguas.

Dejo, en fin, constancia de mi agradecimiento a la Real
Academia Española, por la autorización concedida para la consul-
ta de sus ficheros, y a los autores cuyos cuentos he incluido en la
selección. A Francisco García Pavón (q.e.p.d.), Jorge Ferrer-Vidal, Medardo Fraile y Alonso Zamora Vicente, mi gratitud, por
diferentes razones, gratitud que hago extensiva a mi hermano
David, por su eficaz ayuda.

EL CUENTO ESPAÑOL,
1940-1980

CAMILO JOSÉ CELA

Marcelo Brito

(1941)

Durante muchos meses no se habló de otra cosa por el pueblo.[1]

Marcelo Brito, el mulato portugués, cantor de fados [1] y analfabeto, sentimental y soplador [2] de vidrio, con su terno [3] color café con leche, su sempiterna [4] y amarga sonrisa y su mirar cansino [5] de bestia familiar y entrañable, había salido de presidio.[2] Tenía por entonces alrededor de cuarenta

---

[1] *fados:* canciones populares portuguesas. [2] *soplador:* obrero cuyo trabajo consiste en soplar en la pasta de vidrio para obtener la forma deseada. [3] *terno:* traje. [4] *sempiterna:* constante. [5] *cansino:* que revela cansancio.

~~~~~~

(1) Lo escueto de la frase inicial contrasta con la extensión considerable de los períodos restantes del cuento. La concisión es la fórmula ideal para captar la atención de un posible lector u oyente, y a ella se atiene el narrador, precisamente con ese propósito de interesar a quien le lee o escucha.

(2) La animalización del ser humano es uno de los datos que definen las obras tremendistas. Cela, sin embargo, caracteriza a esos hombres, a menudo bestializados, con una suerte de rehumani-

años, y allá —como él decía— se habían quedado sus diez
anteriores, mustios, monótonos, reducidos a una reproducción de la carabela Santa María, metida inverosímilmente
dentro de una botella de vidrio verde, que había regalado
—sabrá Dios por qué—, con una dedicatoria cadenciosa [6]
que tardó once meses en copiar de la muestra que le hiciera
vaya usted a saber qué ignorado calígrafo [7] presidiario, a
don Alejandro, su abogado, el mismo que no consiguió
convencer al juez de su inocencia. Porque Marcelo Brito,
para que usted lo sepa, era inocente;[(3)] no fue él quien le
pegó con el hacha en mitad de la cabeza a Marta, su mujer;
no fue él, que fue la señora Justina, su suegra, la madre de
Marta; pero como parecía que había sido él, y como
—después de todo— al juez le era lo mismo que hubiera
sido como que no, lo mandaron a presidio, y allá lo tuvieron
casi diez años, metiendo las largas pinzas —con las jarcias [8]
y los obenques [9] y los foques [10] de la Santa María— por el
cuello de la botella. Sobre el camastro tenía una fotografía
de Marta, su difunta mujer, de traje negro y con un ramo de
azahar en la mano, y según me contó José Martínez Calvet
—su compañero de celda, a quien hube de conocer andando

---

[6] *cadenciosa:* con una distribución proporcionada de acentos y pausas.
[7] *calígrafo:* persona que escribe con excelente letra.   [8] *jarcias:* aparejos de
un buque.   [9] *obenques:* cabos gruesos que sujetan los mástiles de un buque.
[10] *foques:* velas de un buque.

---

zación muy peculiar, por la vía del sentimiento: el personaje es una
bestia, pero una bestia «entrañable».

(**3**) El relato, se desvela ahora (ese anterior «vaya usted a
saber» podía interpretarse como una fórmula retórica), tiene un
destinatario concreto. Casi con toda seguridad se trata de una
narración oral, dada la familiaridad (no reñida, como sucede en *La
familia de Pascual Duarte,* con una corrección lindante con el
preciosismo lingüístico) con que se expresa el emisor.

el tiempo en Betanzos[11], en la romería d'os Caneiros[12]—, algunas veces su exaltación al verla llegaba a tal extremo, que había que esconderle la botella, con su carabelita dentro, porque no echase a perder toda su labor estragando[13] lo que —cuando no le daba por pensar— era lo único que le entretenía. Después volvía el retrato de su mujer de cara a la pared, y así lo tenía tres o cuatro días, hasta que se le pasaba el arrechucho y lo volvía a poner del derecho. Cuando esto hacía, la cubría materialmente de besos con tal frenesí que acababa derrumbándose sobre el jergón[14], boca abajo, postura en la que quedaba a lo mejor hasta tres o cuatro horas seguidas, llorando como un niño. Una vez fueron por la penitenciaría, en viaje de estudios, unos abogadetes recién salidos de la facultad, sentenciosos[15] y presumidillos como seminaristas de último año de la carrera, que hablaban enfáticamente de la patología[16] criminal y que no encontraban una cosa a derechas; quiso la Divina Providencia que fueran testigos de una de las crisis de Marcelo, y como si se hubieran puesto de acuerdo, tuvieron a bien opinar —sin que nadie les preguntase nada— sobre lo que ellos llamaban caracteres específicos del criminal nato, sentando como incontrastable la teoría de que esos arrebatos del mulato no eran sino expresión del arrepentimiento que experimentaba por haber segado en flor —la frase es de uno de los letrados visitantes— la vida de la mujer a quien en otro tiempo había amado.[4] Los abogade-

---

[11] Municipio de la provincia de La Coruña. [12] *Caneiro:* nombre que identifica varias aldeas de la provincia de La Coruña. [13] *estragando:* dañando. [14] *jergón:* colchón de paja, esparto o hierba. [15] *sentenciosos:* que utilizan al hablar un tono de afectada gravedad. [16] *patología:* parte de la Medicina que estudia las enfermedades.

(4) El irónico comentario sobre los letrados permite el distanciamiento del hablante con respecto a su narración. Una de las

tes se marcharon con su sonrisa satisfecha y su aire triunfal,
y yo muchas veces me he preguntado qué habrán dicho si es
que llegaron a enterarse de lo que más tarde hemos sabido
todos: que la pobre Marta se fue para el purgatorio con la
cabeza atada con unos cordeles, puestos para enmendar lo
que su marido ni hizo ni probablemente se le ocurrió jamás
hacer.[5]

La interpretación de los sentimientos es complicada
porque no queremos hacerla sencilla.[6] Sin su complicación

~~~~~~

características (en la que los estudiosos no han profundizado
todavía como medio de acceso a la interpretación de este fenómeno
literario) más señaladas en las obras tremendistas es precisamente
esa lejanía que el narrador manifiesta en relación con los sucesos,
que describe como lo haría un implacable notario que no se sintiese
afectado por ellos. En Cela, lo habitual es que dicho distanciamiento se vea atenuado por cierta ternura en el tratamiento del
personaje (extremo este bien visible en «Marcelo Brito»).

(5) Quizá sea este el momento en que de una manera más
notable se advierte la constante del cuento: mezcla hábilmente
dosificada de horror y ternura. La brutalidad del hecho (la
decapitación de Marta) es descrita elípticamente, esquivando todo
exceso gratuito, como si el narrador pretendiera *poetizar* el sangrien-
to suceso.

(6) Esta idea (y el desarrollo que la sigue) recuerda el concepto
naturalista que de la existencia humana ha defendido Cela. En la
nota a la tercera edición de *La colmena* escribía este: «El hombre
sano no tiene ideas. A veces pienso que las ideas religiosas, morales,
sociales, políticas, no son sino manifestaciones de un desequilibrio
del sistema nervioso. Las ideas [...] son una rémora. La cultura y la
tradición del hombre, como la cultura y la tradición de la hiena o
de la hormiga, pudieran orientarse sobre una rosa de tres solos
vientos: comer, reproducirse y destruirse.» Despojado de ideas,
claro está, el hombre no pasaría de ser (y el tremendismo se
empecinó en mostrarlo así) un animal más, con una vida sencilla
por instintiva.

mucha gente a quien saludamos con orgullo —y con un poco de envidia y otro poco de temor también— y a quien dejamos respetuosamente la derecha cuando nos cruzamos con ella por la calle, no tendría con qué comprar automóviles, ni radios, ni pendientes para sus mujeres, y nosotros, los que somos sencillos y no tenemos automóvil, ni radio, ni pendientes que regalar, ni —en última instancia— mujer a quien regalárselos, ¿para qué queremos complicar las cosas si en cuanto dejan de ser sencillas ya no las entendemos? Usted se preguntará por qué sonrío cuando digo esto. Usted se pregunta eso porque no interpreta los sentimientos del prójimo —los míos en este caso— con sencillez. Usted piensa que yo sonrío para hacerme enigmático, para llevar a su alma una sombra de duda sobre mi sencillez; pero yo le podría jurar por lo que quiera, que si sonrío no es más que porque me asusta el convencerme de que no ·entiendo las cosas en cuanto han dado más de dos vueltas por mi cabeza. Mi sonrisa no es ni más ni menos de lo que creería un niño que me viese sonreír y entendiese lo que digo; mi sonrisa no es sino el escudo de mi impotencia, de esta impotencia que amo, por mía y por sencilla, y que me hace llorar y rabiar sin avergonzarme de ello, aunque los abogados crean que si lloro y rabio es porque he dejado de ser sencillo, porque he matado —¡quién sabe si de un hachazo en la cabeza!— mi sencillez y mi candor recobrados, ahora que ya soy viejo, como un primer tesoro.

Lo que sí puedo asegurarles es que el llanto del desgraciado portugués no estaba provocado por arrepentimiento de ninguna clase, porque de ninguna clase podía ser un arrepentimiento producido por una cosa de la que uno no puede arrepentirse porque no la hizo: el llanto de Marcelo no era ni más ni menos —¡y qué sencillo es!— que por haber perdido lo que no quiso nunca perder y lo que quería más en el mundo: más que a su madre, más que a Portugal, más que a los fados, más que a la varilla de soplar que le había

traído don Wolf la vez que fue a Jena [17] de viaje... El llanto
de Marcelo era por Marta, por no poder tenerla, por no
poder hablarla[7] y besarla como antes, por no poder cantar
con ella —parsimoniosamente, a dos voces y a la guitarra—
aquellas tristes canciones que cantara años atrás...

¡Voy muy desordenado, don Camilo José, y usted me lo
perdonará![8] Pero cuando hablo de todas estas cosas es
como cuando miro jugar a los niños, ¡que no importa a
dónde van a parar, como no importa mirar si es más hondo
o menos hondo el agujero que hacen las criaturas en la
arena de la playa!

Habíamos quedado en que no fuera él, sino la señora
Justina, su suegra, la que diera[9] fin a los veintitrés años de
Marta; el caso es que tardó en averiguarse la verdad tanto
como la vieja tardó en morir, porque la muy bruja —que
debía de tener miedo a la muerte— tuvo buen cuidado de
callar siempre, aun cuando más comprometido veía al

---

[17] Ciudad hoy situada en Alemania Oriental, famosa por la importancia
de su industria del vidrio.

<hr />

(**7**) El laísmo es rasgo lingüístico propio del habla popular.

(**8**) Gradualmente, el autor ha ido precisando las características del destinatario de su relato: tras hacernos saber que dicho
destinatario existía, el estilo de la expresión nos ha confirmado que,
con toda probabilidad, se trata de un relato oral; ahora, finalmente, conocemos el nombre del oyente, que no es otro que el propio
Cela. La petición de disculpas hace recordar otra de muy parecidas
connotaciones en *La familia de Pascual Duarte*, también ella a cargo
del narrador en primera persona: «Usted sabrá disculpar el poco
orden que llevo en el relato» (capítulo 4).

(**9**) El empleo del pretérito imperfecto de subjuntivo por el más
ortodoxo pretérito indefinido de indicativo es rasgo arcaico, bastante extendido entre escritores gallegos (modernamente puede consta-
tarse su uso en textos de Álvaro Cunqueiro, Wenceslao Fernández
Flórez, Valle-Inclán, el propio Cela...).

yerno, y menos mal que cuando se la llevó Satanás tuvo la
ocurrencia de dejar una carta escrita diciendo la verdad,
que, si no, a estas alturas el pobre Marcelo seguiría añadién-
dole detallitos a la Santa María...[10] Tal maldad tenía la
vieja, que para mí que no dijo la verdad, ni aun en trance
de muerte, al confesor ni a nadie, porque aunque, según
cuentan, pedía confesión a gritos, me cuesta trabajo creer que
no fuese hereje. El caso es que, como digo, dejó una carta
escrita diciendo lo que había y al inocente lo sacaron de la
cárcel —con tanto, por lo menos, papel de oficio [18] como
cuando lo metieron— y como era buen soplador y don Wolf
lo estimaba, volvió a colocarse en la fábrica —que por
entonces tenía dos pabellones más— y a trabajar, si no feliz,
por lo menos descansado.

Transcurrieron dos años sin que ocurriera novedad, y al
cabo de ese tiempo nos vimos sorprendidos con la noticia de
que Marcelo Brito, temeroso de la soledad, se casaba de
nuevo.

La soledad, con Marcelo tan al margen, tan a la parte
de fuera de lo que le rodeaba, como tiempos atrás lo
estuviera de su compañero José Martínez Calvet, era dura y
desabrida [19] y tan pesada y tan difícil de llevar que Marcelo
Brito —quizá un poco por miedo y otro poco por egoísmo,
aunque él es posible que no se diese mucha cuenta de este
segundo supuesto y que incluso lo rechazara si llegase a
percatarse de su verdad— se decidió a dar el paso, a
arreglar una vez más sus papeles (aumentados ahora con el
certificado de defunción de Marta) y a erigir un nuevo
hogar, como don Raimundo, el cura, hubo de decir con
motivo de la boda.

---

[18] *de oficio:* de carácter oficial.   [19] *desabrida:* desapacible.

(10) A la ternura se suma el humor, frecuente mitigador del
tremendismo celiano.

Esta vez fue Dolores, la hija del guarda del paso a nivel, la escogida; Marcelo lo pensó mucho antes de decidirse, y su previsión, para que la triste historia no se repitiese, la llevó hasta tal extremo que, según cuentan, sometió durante meses a su nueva suegra a las más extrañas y difíciles pruebas; la señora Jacinta, la madre de Dolores, era tonta e incauta como una oveja, y fueron precisamente su tontería y su falta de cautela las que le hicieron salir victoriosa —la inocencia, al cabo, siempre triunfa— de las zancadillas y los baches que por probarla, no por mala intención, le prepara- ra su yerno.

Dolores era joven y guapa, aunque viuda ya de un marinero a quien la mar quiso tragarse, y el único hijo que había tenido —de unos cuatro años por entonces— había sido muerto, diez u once meses atrás, por un mercancías que pasó sin avisar. Los trenes —no sé si usted lo sabrá—, cuando van a ser seguidos de otro cuyo paso no ha sido comunicado a los guardabarreras, llevan colgado del vagón de cola un farolillo verde para avisar. El mixto [20] de Santiago, que era el que precedió al mercancías, no llevaba farol, y si lo llevaba iría apagado, porque nadie lo vio. El caso es que Dolores no tomó cuidado del chiquillo y que el mercancías —con treinta y dos unidades— le pasó por encima y le dejó la cabecita como una hoja de bacalao. Al principio hubo el consiguiente revuelo; pero después —como, desgraciadamente, siempre ocurre— no pasó más sino que a la víctima le hicieron la autopsia, lo metieron en una cajita blanca que, eso sí, regaló la compañía, y lo enterraron.

El gerente le echó la culpa al jefe de servicios; el jefe de servicios, al jefe de la estación de La Esclavitud [21]; el jefe de la estación de La Esclavitud, al jefe de tren; el jefe de tren,

---

[20] *mixto:* tren que transporta viajeros y mercancías.   [21] Aldea perteneciente al municipio de Padrón (La Coruña).

al viento... El viento —permítame que me ría— es irresponsable.

La boda se celebró y, aunque los dos eran viudos, no hubo cencerrada[22], porque el pueblo, ya sabe usted, es cariñoso y afectivo como los niños, y tanto Marcelo como Dolores eran más dignos de afecto y de cariño —por todo lo que habían pasado— que de otra cosa. Transcurrieron los meses, y al año y pico de casarse tuvieron un niño, a quien llamaron Marcelo, y que daba gozo verlo de sano y colorado como era. Marcelo, padre, estaba radiante de alegría; cuando vino el verano y ya el chiquillo tenía unos meses, iba todos los días, después del vidrio, al río con la mujer y con el hijo; al niño lo ponían sobre una manta, y Marcelo y la mujer, por entretenerse, jugaban a la brisca[23]. Los domingos llevaban además chorizo y vino para merendar, y la guitarra (mejor dicho, otra guitarra, porque la otra se desfondó una mañana que la señora Justina se sentó encima de ella) para cantar fados.

La vida en el matrimonio era feliz. No andaban boyantes, pero tampoco apurados, y como al jornal de Marcelo hubo de unirse el de Dolores, que empezó a trabajar en una serrería que estaba por Bastabales[24], llegaron a reunir entre los dos la cantidad bastante para no tener que sentir agobios de dinero. El niño crecía poquito a poco, como crecen los niños, pero sano y seguro, como si quisiera darse prisa para apurar la poca vida que había de restarle.

Primero echó un diente; después rompió a dar carreritas de dos o tres pasos; después empezó a hablar... A los cinco años, Marcelo, hijo, era un rapaz moreno y plantado, con los labios rojos y un poco abultados, las piernas, rectas y duras... No había pasado el sarampión; no había tenido la

---

[22] *cencerrada:* en los pueblos, ruido organizado con objetos diversos en la noche de bodas de dos viudos. [23] *brisca:* juego de naipes. [24] Nombre genérico de la parroquia que agrupa un cierto número de aldeas coruñesas.

tos ferina; no había sufrido lo más mínimo para echar la dentadura...

Los padres seguían yendo con él —y con el chorizo, el vino y la guitarra— a sentarse en la yerbita del río los domingos por la tarde. Cuando se cansaban de cantar, sacaban las cartas y se ponían a jugar —como cinco años atrás— a la brisca. Marcelo seguía gastándole a su mujer la broma de siempre —dejarse ganar—, y Dolores seguía correspondiendo al marido con la seriedad de siempre: una seriedad un poco cómica que a Marcelo —un sentimental en el fondo— le resultaba encantadora.

Al niño le quitaban las alpargatas y correteaba sobre el verde, o bajaba hasta la arena de la orilla, o metía los pies en el agua, remangándose los pantaloncillos de pana hasta por encima de las rodillas.

Hasta que un día —la fatalidad se ensañaba con el desgraciado Brito— sucedió lo que todo el mundo (después de que sucedió, que antes nadie lo dijo) salió diciendo con que tenía que suceder:[11] el niño —nadie, sino Dios, que está en lo alto, supo nunca exactamente cómo fue— debió[12] caerse, o resbalar, o perder pie, o marearse; el caso es que se lo llevó la corriente y se ahogó.[13]

¡Sabe Dios lo que habrá sufrido el angelito! Don Anselmo, que conocía bien los horrores de verse rodeado de agua

---

(**11**) La expresión sintáctica correcta sería «salió diciendo que», o bien «salió con que»; fusionando ambas ha formado el hablante esta otra que transcribe el autor.

(**12**) La confusión entre *deber* (*estar obligado a*) y *deber de* (*existir la posibilidad o duda de que*) está generalizada aun en medios cultos.

(**13**) La situación parece nacida de la mezcla de dos de los motivos presentes en *La familia de Pascual Duarte,* novela prácticamente coetánea de este cuento: la muerte del hermano del protagonista (tan trágica como la que va a padecer Marcelo) y la del hijo (menos tremendista que la anterior, pero de efectos más graves sobre la sensibilidad de Pascual).

por completo, que sabía bien el pobre —tres naufragios, uno de ellos gravísimo, hubo de soportar— de los miedos que se han de pasar al luchar, impotentes, contra el elemento, comentaba siempre con escalofrío la desgracia de Marcelo, hijo.[14]

No se oyó ni un grito ni un quejido;[15] si la criaturita gritó, bien sabe Dios que por nadie fue oído... Le habrían oído solo los peces, los helechos de la orilla, las moléculas del agua..., ¡lo que no podía salvarle! Le habrían solo oído Dios y sus santos, los ángeles, niños a lo mejor como él, y quién sabe si por la voluntad divina, parados en sus cinco años inocentes, aunque en sus alas hubieran soplado ya vendavales de tantos siglos...

El cadáver fue a aparecer preso en la reja del molino, al lado de una gallina muerta que llevaría allí vaya usted a saber los días, y a quien[16] nadie hubiera encontrado jamás, si no se hubiera ahogado el niño del portugués; la gallina se hubiera ido medio consumiendo, medio disolviendo, lentamente, y a la dueña siempre le habría quedado la sospecha de que se la había robado cualquier vecina, o aquel caminante de la barba y el morral que se llevaba la culpa de todo.

Si el molino no hubiera tenido reja, al niño no lo habría encontrado nadie. ¡Quién sabe si se hubiera molido, poquito

---

(**14**) Don Anselmo es el protagonista del primer cuento (titulado con el nombre del personaje) que Cela escribió y publicó en su vida.

(**15**) Fragmento el que sigue de inequívoco sabor celiano: ternura («criaturita») y lirismo (los ángeles del Cielo habrán escuchado los lamentos de un niño como ellos) preceden, en un abrupto contraste de los que tanto prodiga el autor, al siguiente párrafo, mezcla (también característica en Cela) de tremendismo y humor negro.

(**16**) Incorrección gramatical en el habla del personaje: el relativo *quien* no puede concordar con un sustantivo no personal.

a poco; si se hubiera convertido en polvo fino como si fuese
maíz, y nos lo hubiéramos comido entre todos![17] El juez se
daría por vencido, y doña Julia —que tenía un paladar muy
delicado— quizá hubiera dicho:

—¡Qué raro sabe este pan!

Pero nadie le hubiera hecho caso, porque todos habríamos creído que eran rarezas de doña Julia...

(**17**) Este final marca, no hace falta señalarlo, el punto culmi-
nante del tremendismo del relato.

TOMÁS BORRÁS

Así vivimos

(1951)

Debí sospecharlo, porque era uno de esos hombres que dicen: «¡Qué cuadro tan bonito; esas uvas parecen de verdad! ¡Mira qué campo tan hermoso; esas uvas parecen pintadas! ¡Niña linda, pareces una muñeca! ¡Deliciosa muñeca; parece una niña!» De los hombres que cambian la verdad de sitio no hay que fiarse. Yo fui a su casa por una razón idéntica a sus simulaciones; no tenía ni un amigo en la ciudad, recién llegado, y le consideré como tal; sustituí amigo por conocido; hice uno de sus metaplasmos [1]. No pienso sufrir nada más desagradable que lo que se inició en aquella visita.

Desagradable, sí, por la melancólica lección que a mi costa he aprendido: en 1947, todo lo que nos rodeaba era mentira.[18] Rectifico: ni siquiera mentira, sino verdad a

---

[1] *metaplasmos:* figuras de la expresión verbal.

(18) El sentido pleno del cuento se comprende mejor si se localiza precisamente en los años cuarenta a que se alude en él. Fueron aquéllos tiempos de obligadas restricciones materiales:

medias. Vivíamos al cincuenta por ciento, o sea, para más claridad, que las cosas y los hechos tenían una apariencia que, no correspondía a la realidad de su índole. Era el nuestro un mundo enmascarado, parecer y no ser: «¡Qué perro de trapo tan perfecto; parece de carne!»

Aquel que sin amistad me llamaba amigo, me presentó a una señora que parecía su esposa. (A su vez, era una divorciada que a él le pareció soltera, y que no representaba mal su papel de dama correctísima.) Vivía en una pensión que parecía un hogar, y me acogió en una habitación con paredes y columnas de estuco [2] que figuraban ser de mármol. Encontré una tertulia de dos figuras femeninas y una de varón.

—La señorita de Talicual.

(Era una morena oxigenada [3] que parecía rubia.)

—La señora viuda de Pimpón.

(Tan llamativa, recargada de joyas, estridente de colorines la tela de su traje, lucía media dentadura de oro y repintadas mejillas, ojos y labios; parecía una «sospechosa», en realidad una bonísima decente. Hasta era dueña de una funeraria.)

—El señor Sensato.

(Pelo rojizo, alto, seco, impasible, de Ciudad Real y parecía inglés.)

Hechas las presentaciones, entró la modesta fámula [4] de

---

[2] *estuco:* pasta de cal y mármol pulverizado con que se decoran las habitaciones. [3] *oxigenada:* con pelo de color aclarado por procedimientos artificiales. [4] *fámula:* criada.

cartillas de racionamiento, estraperlo como medio de supervivencia en unos casos, y como fórmula fácil de acumular riquezas en otros... Y alimentos cuyo contenido no siempre respondía a las características genuinas que se le suponen al producto: los sucedáneos de que se habla en el cuento recordarían al lector de 1951, a buen seguro, otros bien conocidos por él.

la pensión; a la vista, doncella de casa grande por su refinado atuendo.

—Les voy a servir el té —anunció la casi señora de mi casi amigo—. Es decir, ya se harán cargo. Es una hierba que sabe lo mismo. Como ahora no hay té...

—Yo prefiero café —pidió la señora viuda de Pimpón—. Muy cargado.

—Precisamente tengo una malta [5] muy buena —le sonrió la anfitriona. Y añadió—: Sírvanse el azúcar que quieran. Claro que no es azúcar... Ya se harán cargo ustedes... La sacarina que nos dan en la farmacia. ¿Leche?

—Yo, sí.

—Riquísima. Es leche de castañas. Ya se harán cargo ustedes... La mantequilla la pueden tomar con entera confianza. No es margarina, no: es medula [6] de coco.

También las pastas eran de harina de garbanzo, y la mermelada, resina clarificada con esencia de ciruela. La tarta jamás tuvo nada que ver con el huevo, pues lo amarillo procedía de un producto químico. En cuanto al helado, sabía a ácido fénico [7], pero no era más que agua solidificada y pasta de almendra, con paladar a chocolate. Nos hacíamos cargo. La guerra, la otra guerra, la nueva guerra...

La conversación tomó el giro que acostumbra en las reuniones donde hay señoras.

—Precioso traje, un acierto.

La viuda de Pimpón se esponjó [8]:

—Tela de mondadura de patatas, barro y serrín, la última novedad.

—Losss sssucedáneossss —explicó el señor asimilado a inglés— han rrresssuelto loss prrroblemassss moderrrnosss.

(El idioma entre sus dientes sonaba con arrastre ex-

---

[5] *malta:* bebida de cebada que se utiliza como sustituto del café. [6] *medula:* parte interior de las raíces y tallos de algunas plantas. [7] *fénico:* ácido de olor muy penetrante. [8] *se esponjó:* se envaneció.

tranjero, y así representaba ser más distinguido el interlo-
cutor.)

—Yo estoy muy contenta con los sucedáneos —comentó
la morena tintoreada de rubia—. Los zapatos de suela de
corcho y las medias de cristal son verdaderos adelantos.

—¡Medias! —rechazó despectiva la sospechosísima y
honestísima dueña de la funeraria—. Las mejores medias
son estas.

Mostró con desenvoltura una pierna teñida de suave
color anaranjado oscuro.

—¿Medias de acero?

—Crema, la piel. ¿No parecen medias?

—Efectivamente. Son más medias que las propias medias, por decirlo así. Es como los baños de sol. ¿Para qué ir a
tostarse a la playa? Se tarda tanto tiempo en adquirir el
tono bronceado... El barniz aire libre-iodo, en un minuto...
Y se ahorra una el viaje.

La falsa rubia o morena falsificada se levantó:

—La cuestión es que parezca que una ha estado en San
Sebastián.[19]

Aplastaba su pitillo de celulosa con perfume a tabaco
contra el cenicero de bakelita [9] que parecía de loza de
Manises [10], sacó su pitillera de cartón que imitaba la piel de
cocodrilo.

—¿Fuman?

—Gracias, no —dijimos los caballeros.

—Son de confianza. No es tabaco, naturalmente; combi-
nación de barbas [11] de maíz y celulosa de guisantes. Exquisitos.

[9] *bakelita:* resina artificial.   [10] Municipio de la provincia de Valencia
célebre por su prestigiosa industria cerámica.   [11] *barbas:* conjunto de raíces
delgadas de las plantas.

(**19**) Hasta tiempos bien recientes, esta ciudad fue el punto de
reunión de los veraneantes españoles de la clase alta.

Se entusiasmó la dueña de la casa:

—¡Lo que se ha inventado! ¡Qué época tan admirable! Ayer comimos en casa de Rog, adonde va la gente de más rango. Cincuenta y tres automóviles a la puerta; los conté. Todo el mundo vestido de noche. El sitio de moda. Y saben ustedes que es una taberna de mala muerte y Rog es Rogelia, la que fue cocinera. Eso no quita... ¡Están a gusto las personas de más posición de Madrid en aquellos taburetes incómodos y olientes a grasa frita![20] Eso sí; el menú fue interesantísimo: sopa de musgo que sabe a tortuga; huevos de avena a la anilina [12]; sardinas de pasta de almejas; bisté de lechuga; un vaso de leche de abedul, y había perdiz de bellotas, que es exquisita, y para los potentados, caviar de píldoras de angulas, y ese plato que ha hecho famosa a Rog: el asado de piel de España con jugo de pergamino.

Se relamió cada cual:

—Pues ¿y las fresas de sandía hechas con terciopelo picado?

—A mí me entusiasman los espárragos de junco con salsa de aluminio.

—Yo prefiero el pollo exquisito que sacan de la lana comprimida.

—Digan lo que digan, los sucedáneos son mejores que aquellas cosas verdaderas que comíamos antes.

—Me permito disentir —opiné— y protesto de que ocurran cosas como las que me ha contado mi amigo Bernáldez. Enviado a Alemania, en misión periodística, se

---

[12] *anilina:* alcaloide artificial.

(**20**) Amable comentario satírico sobre usos y costumbres de una clase social que, lejos de dar ejemplo de distinción, accede voluntariamente a descender de su escalafón jerárquico, al modo y manera del noble dieciochesco que se vestía de majo y participaba en fiestas populares.

sentó, al llegar a Berlín, a la mesa de un restaurante. Al concluir el primer plato, que era una carne, encontró en el hueso este letrero: «Made in Germany». En el plato de pescado halló, asimismo, la huella de que era un pez de fábrica. Deseoso de comer algo sobre cuya autenticidad no cupiera duda, pidió que le sirvieran alcachofas. Y a punto de acabar la primera, una hoja de color distinto le advirtió, con el renglón impreso: «Atención. Quedan cinco hojas.»

—¡Maravilloso! Se dice que de la propia silla de los invitados fueron cortando los filetes «de vaca» en cierto banquete.

—¿Y que más da? Pedir algo que sea en verdad lo que dice ser hay que calificarlo de superstición.

Intenté contradecir aquellas opiniones extraviadas, defender lo natural. Me señalaron de anticuado, la señora viuda, y de deseoso de llamar la atención, la ex morena.

—Puesto que todo el mundo acepta los sustitutivos, usted, por distinguirse, por afán de originalidad... —censuró mi apología [13] de lo genuino aquella beldad [14] que se parecía a Greta Garbo [15].

Porque imitaba, copiaba, repetía a Greta Garbo no solo al adaptar su físico al modelo, sino en actitudes, voz avinagrada [16], detalles, estilo.

He aquí —pensaba yo— adónde llega el afán de este año; a ser, no uno mismo, sino el sosias [17] de otro.

A pesar de ello había dentro de aquella chica algo que me sedujo.

—Si pudiera mondarla, como a una nuez, de su cáscara gretogarbiana y dejarla en lo que ella es, ¡qué encantadora!

---

[13] *apología:* discurso en defensa de algo.   [14] *beldad:* mujer notable por su belleza.   [15] Actriz sueca (nacida en 1905) cuyos papeles en el cine norte-americano (mudo y sonoro) alcanzaron una celebridad que para la historia del séptimo arte ha quedado recogida en el calificativo de «la Divina».   [16] *avinagrada:* áspera.   [17] *sosias:* persona extremadamente parecida a otra.

—pensé de la oculta morenita madrileña envuelta en sueca postiza.

Un poco azorado, como todos los que están en minoría, quise cambiar de conversación:

—En fin, esperemos que el mundo entre en caja...

—Ya esstá entrrrando —murmuró el caballero que mascaba consonantes para parecer extranjero—, Rrrusia ssse encarrrga de ello.

—Pero ¿usted está conforme con las matanzas en masa, con la esclavitud de poblaciones enteras arrojadas al círculo ártico, con la desaparición de tantas naciones contra su voluntad? —le pregunté, indignado.

—Naturrralmente. ¡Yo sssoy demócrrrata! —me replicó con infinito orgullo.[21]

Me callé. Un refresco de plexiglás[18] líquido o un trago de ginebra de alcohol de patata completaron la merienda. Me dediqué a acariciar a un loro de seda que parecía vivo, reproducción de un loro vivo que se estaba inmóvil como el loro de seda. Tuve paciencia para esperar a que la señorita Talicual se despidiera, con el fin..., ya lo supondrán ustedes.

—Perdóneme mi emoción —la dije, ya en la calle, acompañándola—. La juventud, el amor...

—El amor —se echó a reír, volviéndome su rostro

---

[18] *plexiglás:* resina sintética con aspecto de vidrio.

~~~~~~

(21) Tomás Borrás, en su vida y su literatura, defendió los presupuestos ideológicos del nuevo estado nacido del Alzamiento Nacional, uno de los cuales era la profesión de fe anticomunista. En ese sentido se explican las alusiones que en este fragmento se hacen a determinados hechos históricos: la represión del dirigente soviético Stalin sobre sus opositores o sospechosos de serlo, el sometimiento, durante su mandato, de poblaciones antes independientes (Letonia, Lituania, Estonia), la alianza de las potencias liberales (Estados Unidos, Gran Bretaña y Francia) con la Unión Soviética durante la Segunda Guerra Mundial...

adaptado como en una escena de la pantalla—. ¿Es usted
provinciano? Mejor, el flirt [19].

—¿Flirt? ¿Y qué es eso?

—El sucedáneo. Todas las ventajas y ninguno de los
inconvenientes. No sea tonto.

—Es decir, ni pasión, ni siquiera aventura, ni casamien-
to, ni siquiera sentimiento...

—Sí; flirt, sustitutivo, lo más cómodo.

—¡Ah!

Hay veces que no se puede decir más que ¡ah!, que no
significa nada; lo más cómodo..., que también sustituye a la
idea y a la palabra. No insistí, aunque charlamos. Supe que
montaba en bicicleta, sustitutivo del caballo; que iba al cine,
que no es teatro ni novela; que la gustaban los cromos, que
no son pintura; que tenía gramófono y radio, para saborear
fox [20] y blúes [21], que no es música; que la encantaban las
perlas falsas que se confunden con las verdaderas; que tenía
un hotelito en Villalba [22], dos metros cuadrados de semijar-
dín, polvo, calor, moscas y sin agua, ilusión de una auténtica
quinta [23] de campo; que llevaba gafas negras al aire libre
para hacerse la cuenta de que era una turista del norte en
un país tropical; que se llamaba Adelaida, pero que la
llamaban Fufa; que tenía un abrigo de piel de cabra que
remedaba el visón; que vivía en una casa cuyo ascensor no
funcionaba; que la gustaban los deportes, pero no practicar-
los, sino solo leer cosas de deportes en los periódicos; que
obtuvo el título de bachiller y no sabía nada de nada; que
tenía diecinueve años y se esforzaba en parecer de veintinueve; que cuidaba un gato, miniatura de un tigre; que

---

[19] *flirt:* coqueteo, relación sentimental intrascendente. [20] *fox-trot,* baile
de salón nacido en Estados Unidos a principios del siglo XX. [21] *blúes:*
forma de música vocal derivada de los primitivos ritmos africanos y
aparecida entre la población negra estadounidense. [22] Collado de Villalba, municipio madrileño situado al noroeste de la capital. [23] *quinta:* finca
de recreo.

adoraba el dinero, y en cuanto lo lograba, lo tiraba; que todo la apetecía hasta enloquecer y que estaba hastiada de todo hasta el suicidio. Supe tantas cosas de ella —todas en la misma línea de incalidad y mentira— que no podía despegarme de la Adelaida secreta, Fufa aparente.

Siguió el flirt. Paseábamos en uno de esos autos que parecen carretas —carbón en vez de gasolina— por calles con acacias raquíticas, remedos de árboles y fachadas monótonas, *ersatz* [24] de apariencias monumentales. Quería convencerla (mi perspicacia había descubierto que Adelaida era una tímida disfrazada de audaz):

—Fufa, después de leerme dos tomos de la Enciclopedia, tengo que pronunciarte un discurso pedante. Verás.

Y recité de carrerilla:[(22)]

—El alma fáustica [25] de esta época aspira a que se cumpla el anhelo de los alquimistas: a que haya una piedra filosofal [26] que cambie la naturaleza de las cosas. Y la piedra filosofal y el alma fáustica nos están gastando una broma pesada: nos dan gato por liebre, hojaldre de hojalata, zapatos de posos de café, y camisas de algas marinas. Ya no hay primeras materias, sino la primera materia única, que sirve para comer o para hacer locomotoras. Recuerda que el salmón de Rog está hecho de la misma sustancia plástica que la caja de tu teléfono. Esto es una simulación, Adelaida. Acuérdate de que has nacido en Madrid y que en Madrid se dice: «Una cosa es una cosa y otra cosa es otra cosa».

---

[24] *ersatz:* traducido del alemán, sustituto. [25] *fáustica:* relativa a la actitud de Fausto, personaje popularizado por el escritor romántico alemán Johann Wolfgang von Goethe (1749-1832); anheloso de conocer las verdades sobrenaturales, Fausto vendió su alma al diablo. [26] *piedra filosofal:* materia con la que los alquimistas pretendían fabricar artificialmente el oro.

(22) Comienza aquí el discurso teórico complementario de la ejemplificación que representa la historia relatada.

Volvamos a la verdad y al sentido común, Adelaida. ¡Abajo los sucedáneos! ¡Abajo la mentira! ¿No estás cansada de falsedad y de chapuza, Adelaida?

—Por lo menos, no me negarás —me atacó Adelaida— que con los sucedáneos se aprecian como joyas las cosas verdaderas. No les discutirás ese mérito.

—Admirable. Eso quiere decir que no son para ti definitivos ni el flirt ni los langostinos de celuloide. ¿Te atreves a aborrecer los disfraces de los objetos, de las ideas y de los sabores? ¿Te atreves a no aceptar a ese horrible intruso que se llama el sustitutivo, hijo a medias de la necesidad y de la potencia de invención de la época? ¡Adelaida, vamos en busca del guisado de carne con carne y del amor con todas sus consecuencias!

Fuimos en su busca. La llevé a que almorzara eso que comían nuestros padres, sin impostura, antes de lavarla, desteñirla y raspar de su físico y de su estilo la Greta Garbo que tapaba su espontaneidad.

—¿No comes, Adelaida?

Me alarmó que rechazara el puré, el pescado; que mirase con horror los platos sabrosos, exquisitos, aquellas deliciosas creaciones culinarias ciertas y frescas, y el vino que era vino, y las frutas recién arrancadas del huerto, y las golosinas sin fraude... En ímpetu loco (de los de ayer), quise besarla. Me apartó con fatiga:

—Es inútil. No me gusta nada de esto. Me da asco. Había soñado con lo verdadero al no poseer más que las imitaciones..., y ya ves.[23] Nada de arrebatos tampoco, te lo

---

(**23**) Es ambiguo el fundamento de la actitud de Adelaida en relación con el tema desarrollado en el cuento. Frente a la frivolidad y esnobismo de la viuda de Pimpón, en Adelaida es perceptible, quizá, un sentimiento oculto de idealismo que no quiere contrastarse (porque el resultado habría de ser negativo) con

ruego. Todo lo que no sea discreto juego y equilibrio cerebral me pone nerviosa.

Así es la naturaleza humana: costumbre. No podíamos ser felices. Nadie podría ya ser feliz a cara descubierta. Ganó la partida el otro elemento, «el que hace las veces».

Por aceptar como amistad el simple conocimiento de aquel señor, cuyo nombre ni recuerdo, me amarga constante padecer.[24] Debí presentir que en su casa me ocurriría algo funesto, porque era uno de esos hombres que dicen:

—¡Qué flores tan preciosas; parecen de trapo! ¡Mira qué flores de papel; parecen recién arrancadas!...

---

la realidad. En tanto esta no se conozca, el individuo puede permitirse adornarla con todas las perfecciones creadas por la ensoñación. Una vez conocida la realidad (y deshecho el sueño), la frustración es inevitable (¿de ahí el rechazo del compromiso amoroso, que se intuye engañoso a la larga?).

(24) Al protagonista masculino, como a Adelaida, la experiencia lo ha conducido al desengaño. El entendimiento de ambos es imposible, porque lo es la comunicación profunda entre sus sensibilidades respectivas. Al lector se le escapan, sin embargo (y la tacha estructural es apreciable), las razones de ese «constante padecer» producto de una brevísima relación de la que difícilmente puede deducirse sufrimiento tan intenso.

IGNACIO ALDECOA

El aprendiz de cobrador

(1951)

En julio, señores, siendo cobrador en un tranvía, cuesta sonreír.[25]

En julio se suda demasiado; la badana[1] de la gorra comprime la cabeza; las sienes se hacen membranosas; pica el cogote y el pelo se pone como gelatina. Hay que dejar a un lado, por higiene y comodidad, el reglamento; desabotonando el uniforme, liando al cuello un pañuelo para no manchar la camisa, echando hacia atrás, campechanamente, la gorra.

En julio las calles son blancas y cegadoras como platos, o negras y frescas como cuevas.[26] En las que el sol y la sombra

---

[1] *badana:* piel curtida de carnero u oveja.

(25) La invocación al lector fomenta la participación de este en el relato, propiciando una cierta identificación con la humilde existencia del personaje.

(26) En el inicio del período con oración de relativo que sigue se sobrentiende un antecedente no expreso: «En aquellas [calles]...»

juegan su dominó, parece que se mueve una vaca, gorda e
hinchada, como las que se encuentran muertas de carbunco [2] en las canteras abandonadas.

Cuando el tranvía entra en una calle recién regada,
sobre la que cae el sol rabiosamente, se levanta un vaho
sofocante que enturbia los ojos y deja en la boca un sabor
agrio. En las primeras horas de la tarde los viajeros se ven
como si se delirase y el cobrador está desmadejado [3], sin
ganas de tenerse en pie. Los tranvías amarillos de los barrios
lejanos, populares y ardientes, pasan asemejándose a tre-
mendos insectos, a los que gustaría, con una mano gigante,
sacar de su ruta viva y zoológica, por la que andan a saltos,
y tumbarlos panza arriba, mientras las ruedas se les agitan
inútilmente.

En julio es precisamente el tiempo en que a los viejos
cobradores suelen darles el delicado, docente y aburrido
encargo de enseñar al que no sabe;[(27)] esto es, mostrar a los
aspirantes a tranviarios cómo se debe cobrar rápida y
educadamente. Los aspirantes son gentes tímidas, de dedos
gruesos y torpes, que cortan los billetes por los números,
sonríen tontamente y no saben hacer los cartuchos de
calderilla con prontitud y elegancia. Los aspirantes son los
únicos que en el verano sonríen en los tranvías.

Leocadio Varela es un muchacho de Canillejas [4] que

---

[2] *carbunco:* enfermedad contagiosa, muy frecuente en el ganado.   [3] *desmadejado:* cansado, con flojedad en el cuerpo.   [4] Antiguo municipio madrileño situado al noroeste de la capital y hoy incorporado a ella como barrio
periférico.

La fórmula completa es, sin duda, más correcta desde el punto de
vista gramatical, pero produciría una impresión de artificiosidad y
rebuscamiento que chocaría frontalmente con la sencillez expresiva
del cuento.

(27) Enseñar al que no sabe es una de las obras de misericordia
recogidas en la doctrina cristiana.

acaba de llegar de Almería, donde ha servido a la Patria dos años y ha adelgazado siete kilos. Leocadio es hijo de tranviario, tiene el cuello de lápiz; los ojos, overos [5]; los pies, planos; la facha, desgarbada; un bigote primerizo y pardo, que parece —ustedes perdonarán la comparación— lo que dejan de sí las moscas en las bombillas, y una novia muy bonita en Barajas [6] que se viste de colorado los domingos y sabe bellas canciones, que canta mientras se dedica a sus labores. Leocadio Varela, aprendiz de cobrador, está enamorado de ella hasta el hueso viscar [7].

Prohibido fumar. Prohibido escupir. No está el cartel de prohibido orinar. Un niño intenta humedecer la falda de su madre y algo le llega a un caballero de negro que está sentado junto a ellos. Leocadio suda y sonríe; tan alto parece un cirio con churretones. El tranvía pasa cercano a un mercado y le llega un hedor, repugnante y sensual, de fruta y carne, de pescado y embalajes a la nariz, que le aletea como si se le fuera a volar.

—¿Dos?

—Sí, dos.

Leocadio imagina que ya está casado, que tiene dos hijos, chico y chica;[(28)] que los días de fiesta come en casa de sus suegros; que las vísperas ha ido al cine con su mujer y se han divertido; que de vuelta han encargado un muchacho, porque todavía están muy enamorados. Las conversaciones de los viajeros no le distraen. «Tienes que comprarte una camisa, Paco, en cuanto cobres.» «Mañana torea en Vista

---

[5] *overos:* de color parecido al del melocotón.   [6] Pueblo madrileño en cuyas proximidades se localiza el aeropuerto del mismo nombre, y que enlaza con Canillejas por medio de una carretera.   [7] *hueso viscar:* espinazo (castellanización del vascuence bizcar).

(28) El número enlaza, por asociación en la mente de Leocadio, dos secuencias narrativas autónomas: el acto de entregar dos billetes y el hecho de imaginarse padre de dos niños.

Alegre [8] el chico de Municio.» «Debes ir al médico, esa tos suena mal.»

—Hasta final de trayecto.

—Sesenta de vuelta.

—¿Sabe usted por dónde cae el bar Campanita?

—Pues debe de caer pasado el puente.

—Gracias.

—No hay de qué.

El tranvía va despacio. Da tiempo a leer los letreros de las tiendas. «Confitería La Inconquistable», «Mercería La Violeta», «Zapatería El Zapato de Oro». Después, un título exótico anunciando una taberna: «Mexicán». Leocadio recuerda las canciones de su novia. Piensa que ella, con la madera [9] que tiene, educándola un poco, podría ser una gran artista y ganar mucho dinero. Pero no; entonces ya no le querría, porque a las mujeres se les sube la fama a la cabeza y ya no quieren a los de su clase, prefiriendo a la gente que viste bien, come bien, duerme bien y lo hace todo bien.[(29)] El cobrador viejo le llama.

—Varela.

—¿Diga usted?

—En la próxima nos alcanza el inspector. Avisa al conductor que traemos pegado al setenta.

—Sí, señor.

Leocadio va hacia el conductor.

—Que traemos pegado al setenta.

—Ya lo sé.

---

[8] Antigua plaza de toros madrileña. [9] *madera:* talento, disposición natural.

(**29**) La rutina de su trabajo fuerza al personaje a refugiarse en la ensoñación: primero se supone instalado en un futuro placentero y sencillo, sin grandes aspiraciones, y luego idea a su mujer alcanzando la fama, invención que rechaza de inmediato en aras de esa vida elemental en que cifra sus modestas ambiciones.

Leocadio aprieta el dedo en la esponjilla de la correa como si pulsara un botón.

—¿Usted?

—Ya llevo.

—¿Usted?

El que va en el estribo haciendo equilibrios le alarga cuarenta céntimos y hace un chiste:

—Lo que sobre, para el bote.

El aprendiz de cobrador cree estar ingenioso contestando:

—Gracias.

El puente.

El Manzanares [10] no es un río; es una carretera encharcada y llena de hierbas.

Una lata brilla, asomando la sierrecilla de la tapa. Sube el inspector, que es pequeño y grueso, serio y mostrenco [11]. Parece una chinche.

—¡A ver, Varela!

Hace puntos y rayas en un estadillo [12]. Luego saca la tenaza taladradora y empieza a pedir los billetes. Cuando acaba se dirige al cobrador viejo:

—¿Qué tal este?

—Bien, aunque algo lento.

—Ya aprenderá. Hasta luego.

—Hasta luego.

La serie de combinaciones que tiene que hacer Leocadio para llegar a su casa le llevan cosa de hora y cuarto. Primero hasta Atocha; después hasta Ventas [13]; por fin, Canillejas. Le ha tocado el servicio más lejano, pero ya se

---

[10] Río que atraviesa la capital de España.   [11] *mostrenco:* poco inteligente, y también muy gordo y pesado.   [12] *estadillo:* hoja de papel con anotaciones de carácter oficial.   [13] Atocha y Ventas son barrios madrileños situados en las zonas sur y este, respectivamente.

arreglará. En Canillejas empieza a subir gente conocida; él, además, charla con el cobrador, que le conoce desde niño.

—¿Qué tal, Leocadio?

—Pues por ahora bien.

—Ya irás acostumbrándote —le dice con aire sabio.

—Sí; ya me acostumbraré.

Hay un burbujear de risas en la parada del tranvía y suben tres muchachas acompañadas de dos pollos [14]. Hablan alto y se ríen por nada. Cuentan tonterías.

Leocadio se acerca a ellos:

—¡Cuánto bueno por aquí! ¿Qué hay, Felisa?

Todos gritan y se echan a reír. Uno de los acompañantes le palmea la espalda. A pesar de que el calor es insoportable o poco menos, va muy fardado [15] de azul marino, con una corbata irritante de colorines, repeinado y con playeras.

—¡Hombre!, Leocadio, te echábamos de menos. A la «Feli» la hemos puesto en medio en el cine, para que no digas.

El aprendiz de cobrador se ruboriza un poco, pero ya está en su barrio y vuelve a ser el de siempre:

—¡Como está mandado!

—Y qué, ¿se te da bien el oficio?

—Pues no se me da mal.

—Y ¿qué te parece que lo celebremos un poco en casa de Cabezota antes de irnos a dormir y que la «Feli» nos cante algo?

—Por mí... —responde encogiendo los hombros.

Las muchachas intervienen:

—Pero se nos va a hacer tarde.

El pollo que lleva la voz cantante guasea y decide a todos:

—¡Que se nos haga, que hoy tenemos que celebrarlo!

---

[14] *pollos:* muchachos.   [15] *fardado:* vestido con cierta presunción.

Y vuelven a las risas y a los achuchones, salvajes y amorosos.

Bajan en casa de Cabezota.

—Unos «vermutes» para las mujeres. A los machos, vino.

La Felisa se aparta con Leocadio. Mimosa, baja la vista.[30]

—Leocadio: te quiero, ¿sabes?

—¡Y yo a ti!

—Leocadio: ¿cuánto?

—Pues como un millón o tal vez más.

—Leocadio: ¿vas a ser formal?

—Muy formal, «chati».

—Bueno. Y ¿no te emborracharás?

—No me emborracharé.

—¿Me lo prometes?

—Sí, mujer...

Los del grupo se acercan. El mandamás, volviéndose, dice:

—Mirad a los tórtolos. Ya tendréis tiempo, hombre, que la vida es larga.

Una de las chicas se ríe pícara y secretera [16].

—Cuenticos a la oreja no valen una lenteja.

El que dirige pide otra ronda, fingiendo gesto señoril:

—Repite y buenas tapas.

---

[16] *secretera:* que habla como si estuviera contando un secreto.

---

(30) El diálogo que sigue es modelo de la trivialidad que acostumbra a marcar la norma de toda conversación de enamorados, pero también indicio de la clasificación social de los hablantes: la inquietud de la novia por los temidos hábitos del futuro cónyuge es característica de un estrato social determinado, el de la clase humilde.

Luego, a la Felisa:

—Cántanos algo. No te hagas de rogar.

—Pero si yo...

Leocadio la lanza.

—Anda, «Feli»; canta «Guadalajara en un llano...»[31]

—Como queráis...

Y la Felisa canta con mucho sentimiento y bastante desgarro.

Reclaman más vino. En la taberna hay un silencio expectante. Dos viejos, sentados en un rincón, comentan:

—La chica tiene buena voz.

El otro, con los ojillos saltarines, se ha fijado en el tipo.

—Y está muy bien; podría ser artista.

Va pasando el tiempo. El grupo alborota para marcharse. Pagan y se van.

A la salida cada pareja coge un camino. Leocadio acompaña a Felisa por la carretera de Barajas. Los olivos tintan el campo de sombras. Hay un aroma honrado de cereales, de cardos, de hierba seca. La Felisa y su novio encienden con sus pisadas los rastrojos. Canta lejano un sapo de la vera del camino. Leocadio siente un escalofrío por el vientre.

Sopla un airecillo de briznas [17]. La Felisa tiene los ojos negros y dorados, como los élitros [18] de los escarabajos. Se sientan...

A la mañana siguiente Leocadio no sonríe en el tranvía. Está lleno de preocupaciones. El calor le atosiga. Los dedos

---

[17] *briznas:* hebras de plantas o frutos. [18] *élitros:* alas anteriores de ciertos insectos.

(31) La inserción de este título melódico del repertorio popular es uno más de los varios apuntes (de léxico, de ideas, de ambiente) que sobre la idiosincrasia de la gente llana se muestran a lo largo del cuento.

le responden seguros cuando corta los billetes. Apenas hace
caso del profesor, que le dice para término de sus lecciones:

—Varela: tú ya sabes; pegado a la hoja, que ese es el
único consejero que llevas.

Julio exprime cera sobre la ciudad.

ANA MARÍA MATUTE

Vida nueva

(1956)

—¡Qué asco! —dijo Emiliano Ruiz—. ¡Qué asco! Acabo de pasar por la tienda y está todo abarrotado de gente. Las uvas, más caras que nunca, y todos ahí, aborregados [1], peleándose por comprarlas. Podridas estaban las que yo vi.

Don Julián le miró vagamente, con sus ojillos lacrimosos.

—No se ponga usted así, don Emiliano —le dijo—. No se ponga usted así.

—El caso es —dijo Emiliano, limpiando con su pañuelo el banco de piedra— que si usted los oye, desprecian todo. Pero luego hacen las mismas tonterías que los antiguos. Yo no sé a qué conducen estas estupideces a fecha fija. Tonterías de fechas fijas. Alegrarse ahí todos, porque sí. Porque sí. No, señor; yo me alegro o me avinagro [2] cuando me da la gana. Como si mañana me da por ponerme un gorro de papel en la cabeza. Porque me dé la gana. Pero así, quieras o no quieras... ¡Bueno, modos de pensar!

---

[1] *aborregados:* reunidos en multitud.   [2] *me avinagro:* me enfado.

Don Julián sacó miguitas y empezó a esparcirlas por el suelo. Una bandada de pájaros grises llegó, aterida[3].

—Lo que a usted le pasa, y perdone —dijo—, es que está usted más solo que un hongo. Que es usted y ha sido siempre un solterón egoistón y no quiere reconocerlo. Le duele a usted que yo tenga mis hijos y mis nietos. Le duele a usted que yo tenga una familia que me quiere y que me cuida. Y que se celebre en casa de uno (en lo que uno pueda, claro) la fiesta, como es de Dios[4]. Ahí tiene, esta bufanda. Esta bufanda es el regalo de estas fiestas. ¿A que a usted no le ha regalado nadie una bufanda, ni nada?

Emiliano clavó una pálida mirada despectiva en la bufandita de su amigo, el pobre don Julián. A don Julián le llamaban en el barrio «el abuelo».[(32)] Vivía con su hija, casada, y dos nietecitos. Ambos, don Julián y Emiliano, eran amigos desde hacía años. Todas las tardes se sentaban al sol, en la plazuela de la fuente. Al tibio y pálido sol del invierno, donde los pajarillos buscaban las migas que esparcía don Julián, y escuchaban, entre nubecillas de vapor, las quejas que salían de la boca de Emiliano Ruiz, el viejo profesor jubilado.

Don Emiliano llevaba un trajecillo negro verdoso, cuello duro y pulcro, corbata y puños salientes. Un sombrero de fieltro marrón, cepillado, botines y guantes de lana. Siempre

---

[3] *aterida:* helada a causa del frío.   [4] *como es de Dios:* expresión, equivalente a *como Dios manda*, que alude a la forma correcta de hacer algo.

(32) La denominación adquiere toda su relevancia real al concluir el cuento. Es entonces cuando el lector se percata de que «el abuelo» representa (y de ahí el sustantivo generalizador) a miles de ancianos en las mismas circunstancias en que él se encuentra. «El abuelo» simboliza a todos los hombres en el crepúsculo de su vida, aquellos para quienes la única compañía es ya su propia soledad.

con bastón. Emiliano tenía el rostro pálido y los ojos diminutos y negros. «El abuelo» iba con un viejo abrigo rozado, una hermosa bufanda y una boina negra. Llevaba los pies bien enfundados en dos pares de calcetines de lana y embutidos [5] en zapatillas a cuadros. Cuando nevaba, no salía, y desde la ventana del piso, sobre la tienda, contemplaba al audaz, al duro, al implacable Emiliano Ruiz, que le miraba despreciativamente y le saludaba de lejos. Emiliano nunca llevaba abrigo. «A esos jóvenes estúpidos quiero yo ver a cuerpo, como yo.» Todo el mundo sabía que la jubilación la llevaba don Emiliano clavada en el alma, y odiaba a los estudiantes. «El abuelo», por el contrario, vivía contento, según decía, dejando la tienda en manos de su yerno. «Ahora vivo con mis hijos, satisfecho, disfrutando el ganado descanso a mis muchas fatigas. Eso por haber tenido hijos y nietos, que me cuidan y me quieren. Los que dicen lo contrario, envidia y solo envidia.»

Era el día 31 de diciembre, y en la población todos se preparaban para la entrada del año. Las callecitas de la pequeña ciudad olían a pollo asado y a turrones, y los tenderos salían a las puertas de sus comercios con la cara roja, un buen puro y los ojillos chiquitines y brillantes.

—No me haga reír, don Julián —dijo con ácida sonrisa don Emiliano—. No me haga reír. No es intencionado, pero mis duritos los llevo yo aquí dentro —se llevó significativamente la mano al chaleco—. Honestos y míos, solo míos. Yo me administro. No necesito bufanda, claro está, pero si la necesitara me la compraría yo. Yo, ¿entendido?

«El abuelo» se ruborizó.

—No ofende quien quiere. A mí me compran todo, me quieren todos. Mis nietecillos, mi yerno, mi hija. ¿Para qué quiero yo ahora unos durejos miserables en el chaleco? Demasiados he manejado en mi vida, don Emiliano. Dema-

---

[5] *embutidos:* metidos de manera muy ajustada.

siados. El dinero no me conmueve a mí como a otros.
Prefiero lo que da a cambio el dinero: lo que tengo. Una
familia, un hogar, un calor... Eso. Llegar a casa. «Abuelo,
que le cambio las zapatillas.» «Abuelo, siéntese en el sillón.»
«Abuelo, tome usted esto y lo otro»... Eso es. Lo mejor de la
vida. No me cambiaba yo ahora por mis veinte años. No,
señor. No, señor. Llegó la hora del descanso, de disfrutar de
la vida. Eso es.

Don Emiliano hizo un gesto de compasión y palmoteó el
hombro de don Julián, que lo sacudió como si le picara una
avispa. Sentados uno junto al otro, estiraron sus piernecillas
secas al sol, y sus viejas carnes se adormecieron levemente.
No cambiaron una sola palabra, apenas. Se sentían uno
junto a otro.[33] Las migas se acabaron y los pájaros huyeron.

—Bueno, amigo, ya me voy —dijo «el abuelo»—; en
casa me esperan. Esta noche es una noche hermosa, llena de
alegría, y ¡si usted supiera qué hermoso pavo me espera!
—Los ojillos de ambos se encendieron levemente de gula.—
Eso traen las fiestas en familia: buena cena, alegría, compañía, felicidad. ¿Oye usted? «Felicidad.» Eso se dice, estas
fechas. Conque ya sabe: ¡«Felicidad», don Emiliano!

Don Emiliano saludó con la mano, apenas.

—Gracias, la tengo. Soy feliz como quiero. Sin obliga-
ciones molestas. Ceno pavo la noche que quiero durante el
año. No tengo que esperar a estas fechas. Ya lo sabe usted.
Cuídese, que le he visto palidillo.

«El abuelo» calló su mal humor, por lo de la salud. Con
paso tardo se dirigió a la casa. Como iba despacio, aunque
no estaba lejos, tardaba en llegar. Cuando llegó, la tienda
estaba cerrada. Oscurecía ya.

---

(33) Por encima de la latente tristeza que a estas alturas del
cuento se percibe ya con nitidez, se alza, como un islote de
esperanza en un océano de soledades, esta fugitiva comunicación
silenciosa entre los dos ancianos.

Subió lentamente las escaleras. María, la criada, zafia y mal educada, le vio subir:

—¡Que no me manche la escalera, abuelo!

«El abuelo» la miró indignado.

—¡Osada!

En el piso reinaba el silencio. Levemente el anciano llamó:

—Luisa..., hija...

María asomó su cabeza desgreñada:

—¡Que va a despertar a los niños!... La señora no está.

—¿Que no está?

—No —escondió una risa—.[34] Esta noche salen. Me han dicho que le deje preparada la cena, abuelo.

—¡Osada! ¡No me llames abuelo!

—¡Usted perdone! Que caliente usted la cena en el gas, que en la alacena[6] hay turrón. Yo salgo también. Así que deje la puerta abierta, por si alguno de los niños llora.

—¿Que se han ido? ¿Adónde?

—¡Anda! ¡Como que me lo van a contar a mí! ¡Pues puede usted figurárselo! Por ahí, como todos... ¡Y que no está todo animado! Cada día se ponen las calles más majas para estas fechas.

«El abuelo» se quitó despacio la bufanda. La miró, pensativo. La dobló cuidadosamente, como todos los años. Como todos los años, hasta el siguiente. La nueva. Se la compró su vieja[7], dos años antes de morir. Una lagrimilla

---

[6] *alacena:* hueco hecho en la pared para guardar cosas.   [7] *vieja:* esposa.

(34) La poco positiva (por no decir francamente negativa) visión existencial que del ser humano se ofrece en este cuento (egoísmo, insolidaridad, abandono de los más necesitados) es característica de las obras de Ana María Matute. El personaje de María, ocasional y poco significativo en la estructura del relato, refuerza, con su desagradable aparición, la lectura pesimista.

fría, casi sin dolor, le subió a los ojos. Lentamente, «el
abuelo» subió hacia la buhardilla, donde tenía la cama de
matrimonio, alta y solemne. La gran cama que se negó a
vender cuando Luisa y su marido compraron muebles
nuevos y «refrescaron»[8] el piso, sobre la tienda. «Pues si
usted no quiere, tendrá que irse arriba con sus trastos,
porque aquí abajo no hay sitio para eso. A estos viejos no
hay quien les meta en la cabeza que los tiempos cambian,
que ahora la vivienda es difícil, que hay que aprovechar el
piso lo más posible...» El abuelo se fue a la buhardilla con su
gran cama, con su arca, y con la mecedora donde un día se
quedó muerta la pobre Catalina. A veces el perro subía allí
y olfateaba un poco. Luego bajaba, con los niños. «Los
niños.»[35] Apenas se los dejaban un momento en la mano.
Apenas podía tocarlos. Era viejo y las manos le temblaban.
Claro que los niños se ponían a llorar en cuanto él los cogía.
Pero ya se hubieran acostumbrado... Dejó la puerta entreabierta. Por la ventanita vio el cielo de la noche, muy azul,
con frías y distantes lucecillas. «Año Nuevo», pensó. La
noche llegaba lentamente. Encendió el braserillo y se acu-
rrucó en la mecedora. Rato después le despertó el tufillo de
la zapatilla quemada. Escuchó. María se había marchado
ya. La llamó en voz baja. Sí, se había ido. Sintió frío y
hambre. Lentamente, bajó la escalera, procurando que no
crujiera, para que los niños no se despertaran. Entró en la

---

[8] *refrescaron:* renovaron.

⁓⁓⁓⁓⁓⁓⁓⁓⁓⁓⁓⁓⁓⁓⁓⁓⁓⁓⁓⁓⁓⁓⁓⁓⁓⁓⁓

(**35**) La mayoría de los cuentos de Ana María Matute tiene por
protagonistas a niños. La infancia de estos personajes incorpora,
con variantes, los mismos elementos presentes en el mundo adulto
de sus otros relatos: la angustia, la incomunicación, la crueldad y,
sobre todo, la soledad. La infancia no es, en las obras de Matute,
un paraíso de felicidad, sino la antesala de una triste edad adulta,
prólogo, a su vez, de la definitiva soledad de la vejez y la muerte.

cocina y encendió torpemente el gas, y la corona de llamas azules brotó con fuerza y le quemó un dedo. Destapó una cazuela, y vio un guiso frío, que se puso a calentar. Abrió la alacena y vio los turrones. Estaban duros. Tendría que cortarlos. ¡Bah, daba igual! No tomaría.[36] El vapor de la cazuela le avisó. Volcó el contenido en un plato y lo cogió, con sus manos temblorosas. Sacó una cuchara. Lentamente, subió de nuevo a la buhardilla. Pensaba. «Año nuevo, vida nueva», solía decir siempre la vieja, la amada y —¿cuánto tiempo hacía que se fue?— la inolvidable Catalina.

Ya había oscurecido cuando don Emiliano se levantó, aterido, del banquillo. «A ver si ahorrando, ahorrando, puedo comprarme un abrigo el año entrante.» Con sus pasillos nerviosos, prodigiosamente erguido, encaminóse a la pensión. El portalillo estaba iluminado, y un tropel de muchachos bajaban la escalera. «Insensatos, dejad pasar.» Se hicieron a un lado. Eran tres estudiantes que vivían en su misma pensión. «Insensatos, locos.» Le recordaban a los de sus clases, en el Instituto, y se le encogió el corazón. «¿Qué les enseñarán ahora? A mí me querían, aquellos.[37] Aquellos

---

(36) La renuncia al típico turrón navideño simboliza la resignación del anciano ante la irremediable perspectiva de que esa noche no sea diferente de cualquier otra: lo que le espera en esta Nochevieja triste es, en definitiva, la misma soledad de todos los demás días del año.

(37) Este afecto oculto de don Emiliano por los estudiantes desmiente la apreciación anterior del narrador omnisciente en el sentido de que «todo el mundo sabía que [...] odiaba a los estudiantes». Se evidencia en este momento la profunda incomunicación que existe entre el profesor jubilado y el mundo que lo rodea, y que tiene de él una opinión muy diferente de la exacta verdad de los sentimientos del personaje. Es muy posible que don Emiliano diera clases de literatura, a juzgar por la reminiscencia becqueriana que delata la frase que pronuncia a continua-

que no volverán, que no sé adónde han ido, que no sé si han muerto.» Pero sí, estaban muertos. Como todo. Como todos, alrededor de don Emiliano. «Como yo.» La soledad se agazapaba, tímida, como una niña miedosa de ser descubierta. Don Emiliano recogió su llave y se dirigió a la habitación. En cuanto cerró su puerta, sus espaldas se curvaron, y sus ojos se volvieron tristes. Como dos pajarillos de aquellos que mendigaban las migas del «abuelo». Don Emiliano se acercó a la ventana, con paso cansado. Miró afuera, y vio el mismo cielo que «el abuelo», la misma vida bajo el mismo cielo. Don Emiliano permaneció un instante quieto. Luego, lentamente, abrió un cajón. Alguien llamó a la puerta. Don Emiliano compuso el gesto, grave:

—¡Pase!

Una criada le miró sonriendo:

—Tenga, don Emiliano, las uvas, de parte de doña Gimena.

Don Emiliano hizo un gesto condescendiente:

—¡Qué bobada, muchacha! Bueno, déjalo ahí.

La criada dejó el plato y salió, riendo. Don Emiliano sacó un sobre y una postal de Año Nuevo. Se caló las gafas y se sentó, pluma en ristre [9]. Con letras algo temblorosas escribió: «No estás solo, querido amigo, aunque todos han muerto. Felicidades.» Firmó. La metió dentro del sobre. Volvió a la ventana. Estuvo así, tiempo. No sabía cuánto. De pronto oyó gran algarabía [10]. Ruido de zambombas y risas de borracho, allá abajo. Allá abajo, muy abajo. Los ojillos de don Emiliano, tristes y grises pajarillos, aletearon.

---

[9] *ristre:* hierro en que se afianzaba la lanza antes del combate. [10] *algarabía:* griterío.

---

ción (en la rima LIII del poeta andaluz: «aquellas que aprendieron nuestros nombres, / esas... ¡no volverán!»).

Con pasos sigilosos, cogió el sobre, y salió al pasillo. Miró, a un lado y otro. No había nadie. Con cuidado, se dirigió al buzoncillo de las cartas. La echó. Subió de nuevo, de puntillas. Entró en la habitación, con una leve sonrisa: «Mañana me la entregarán.» Una a una, despacito, sin campanadas, don Emiliano se comió las uvas. Luego se acostó con el nuevo año.

JESÚS FERNÁNDEZ SANTOS

La vocación

(1958)

Falta apenas un minuto para la hora. El gran reloj del locutorio mueve su aguja hasta dejarla vertical y, desde lejos, a través del altavoz que preside el estudio, llegan vibrando ocho campanadas. Antonio ha ensayado mentalmente sus primeras palabras. Ha leído con cuidado cinco folios que tiene ante sí, confusamente impresos en la multicopista de la radio. Teme habérselos aprendido de memoria. A veces sucede así de tanto repetirlos. Entonces, cuando los nervios apuran, la memoria va más aprisa que la letra y se roza una frase.

El micrófono no impresiona tanto cuando al otro lado de la mesa está el compañero para sacarlo del apuro, pero ahora, en la soledad de la habitación guatada [1], donde ni el rumor de las oficinas llega, siente que está sudando. Seguramente en ese momento, el director ha encedido su receptor en casa. Dicen que oye constantemente los programas.

---

[1] *guatada:* forrada con guata, tela que permite una cierta insonorización del departamento.

«Si este día —piensa Antonio— quedo bien, seguro que me aceptan, seguro que me quedo de plantilla.» Se acabó, entonces, el vagar por los pasillos, las visitas monótonas a la redacción, el tedio de todo un año perdido.

Él sabe que muchos de los que hoy figuran en puestos de importancia, incluso su amigo Agustín, llegaron silenciosamente, casi de contrabando, como un humilde huésped cuya presencia no desea hacerse notar. Desde entonces, jornadas aburridas de despacho en despacho, cigarros consumidos en tardes vacías, en el ir y venir de los departamentos, en pequeños trabajos que por ignorados no suponen ningún mérito concreto, hasta que cierta mañana —ellos no sabrían ya decir cuándo— la voluntad invisible que rige la emisora ha uncido a esta su vocación y su destino.

Cuando la música de sintonía cesa, la luz verde desaparece. Se enciende la roja y el encargado del control, desde su puesto iluminado, hace a Antonio un gesto que quiere decir: «Ahora...»

Ya está dicha la cabecera[2]. Vuelve la luz verde en tanto gira un disco. Un son lento, melodioso, a tono con la mañana que comienza. Antonio, más tranquilo, contempla, al lado opuesto de la mesa, el otro lugar vacío. En el programa hay párrafos para locutora. Si esta no llega a tiempo, deberá llenar él los intervalos. Más difícil. ¡Ojalá quien lo escribió no haya matizado mucho!

El disco termina. De nuevo el gesto del otro, más allá del cristal.

El director quiere optimismo por las mañanas; un tono amistoso, confidencial en los programas. Publicidad de las doce en adelante, y las tragedias a las seis, en los seriales.[38]

---

[2] *cabecera:* comienzo de un programa radiofónico.

(38) Sabido es que las emisoras acostumbran a fijar unos esquemas de programación adecuados al gusto del potencial oyen-

Ahora hay que hablar a cada escucha[3] individualmente, en coloquio cordial, como a un amigo a quien se quiere mandar contento a la oficina.

Antonio piensa en su padre. ¿Irá su padre contento a la oficina? No. Su padre nunca escucha la radio, y menos a esa hora.[39]

En los platos[4] del control se agotan veloces los discos. Cada vez que el hombre en mangas de camisa le hace seña, Antonio habla, cara al micrófono, ni muy lejos, ni demasiado cerca, como le han enseñado. Ahora dice las palabras con menos dificultad, casi con soltura, sin la penosa sensación de expulsarlas, como al principio.

Al fin alguien aparece en el locutorio.

Raquel lleva seis años en la emisora. Empezó muy joven. Se desliza por la puerta silenciosamente y llega a tiempo para leer su parte con aplomo y rutina. A pesar de su rostro indiferente, recién salido del sueño, la voz surge amable, cargada de cálidos matices. Una de esas voces que el público conoce sin saber su nombre, tan solo de oírla día tras día.[40]

---

[3] *escucha:* radioyente.   [4] *platos:* superficies sobre las que se colocan los discos que han de escucharse.

---

te. La mañana es, por ejemplo, patrimonio casi exclusivo del ama de casa. La música seleccionada es diferente en cada banda horaria: a la noche le corresponden las melodías melancólicas, como a la mañana las de aire optimista. Las primeras horas de la tarde, en fin, siempre estuvieron reservadas para la audición de la radionovela.

(**39**) Muy discreto apunte social. El optimismo al que incita la emisión radiofónica de la mañana parece incompatible con la rutina diaria de un trabajo probablemente poco estimulante.

(**40**) Al lector actual, seducido por la cultura de la imagen, puede escapársele la importancia trascendental, en los años cuarenta y cincuenta, del medio radiofónico, que cumplía exactamente la

Tras concluir el santoral, mira.

—¿Qué tal?

—¿Yo? Regular... —duda Antonio.

—Paco dice que bien. Me lo dijo al entrar.

Paco es el del control. Le miran y él, como si supiera de qué hablan, asiente.

—¿Tú eres amigo de Agustín?

—Sí. He venido algunas veces con él.

Agustín le recomendó que se dejara ver por la redacción, por el estudio. Es la táctica de muchos, es mejor que llegar de pronto, una mañana, pretendiendo trabajo. Al fin se ha presentado una ocasión, una vacante temporal por afonía, porque el otoño es la estación más peligrosa para los locutores. Antonio reemplazará provisionalmente al compañero enfermo y Agustín puede sondear al director, mientras tanto.

Ahora, las efemérides [5] del día:[(41)] En tal día como el que corre, Alejandro Magno [6] acaba de someter la Capadocia [7];

---

[5] *efemérides:* conjunto de sucesos notables ocurridos en el mismo día de diferentes años.   [6] Rey de Macedonia nacido en 356 a.C. y muerto a los 33 años; pese a tan corta vida, formó un gigantesco imperio que comprendía las tierras existentes entre Grecia, Egipto y la India.   [7] Región de Asia Menor situada al oeste de Armenia.

---

misma función que aún hoy desempeña el televisivo. La radio era no solo la fuente de acceso primordial a la información y el entretenimiento, sino también, para muchos, una fórmula atractiva de procurarse ingresos económicos. Proliferaban, en efecto, concursos presentados por personajes cuya popularidad, entonces, dependía de la voz, y no de una imagen para el oyente desconocida (una película de José Luis Sáenz de Heredia fechada en 1955, *Historias de la radio*, proporciona una interesante estampa de época sobre el ambiente que rodeaba el medio).

(41) La coherencia en las precisiones cronológicas falla. La festividad de la virgen Eufemia se celebra el 16 de septiembre

cuatro siglos después, la virgen Eufemia[8] sufre prisión y muerte bajo Diocleciano[9]. En 1502 Cristóbal Colón, durante su cuarto viaje a América, avista[10] la costa de Veragua[11].

—¿Nunca hablaste en la radio?

—Una vez, en un concurso, con otros. Nada...

—¿Solo, nunca?

Mueve la cabeza, negando otra vez, mientras con el índice señala su parte en el papel. Raquel, vista a la luz de la pequeña lámpara, parece joven, con esa juventud un poco ya pasada que realza la luz artificial. Del cuerpo no se puede juzgar. Entró con el abrigo sobre los hombros y se lo quitó sentada, un poco hombrunamente, mientras leía.

Antonio va leyendo y de pronto, incomprensiblemente, el texto acaba al volver una hoja. La garganta se seca en un instante mientras vuelve atrás, buscando el final de la frase. Mas por allí ya pasó, y cuando comprende que el chico de la multicopista, al grapar los folios, metió entre ellos uno blanco, ya Raquel hilvana sus últimas palabras dando entrada al disco siguiente.

—¡Si tuvieran cuidado! —arranca la hoja con rabia.

—No lo notaron. Pasa en todos los programas. Cuanto peor parece aquí, mejor sale fuera.

Nadie lo ha notado porque a esa hora la casa duerme aún. Cerrado el despacho del director, desiertos los pasillos y la redacción, solo una mecanógrafa ha madrugado para

---

[8] Virgen cristiana martirizada en la primera década del siglo IV. [9] Emperador romano, muerto en el año 313, bajo cuyo gobierno sufrieron los cristianos la décima persecución, que habría de ser la más sangrienta de las padecidas hasta entonces. [10] *avista:* alcanza con la vista. [11] Península panameña, en otro tiempo abundante en oro, donde Colón intentó, infructuosamente, formar una colonia.

(efectivamente, en otoño, tiempo en que transcurre el cuento), pero su martirio no se produjo cuatro siglos después del sometimiento de Capadocia, sino ocho más tarde (véanse nn. 6 y 8).

copiar dos recetas de cocina. La chica escribe: «Leche frita», y a su tecleo suave, distanciado, sirve de fondo el rumor lejano de la calle.

Los muros acolchados [12] del estudio grande guardan aún los aplausos de la noche anterior.[42] Las sillas revueltas perpetúan la confusión de última hora, y en tanto el salón vacío parece descansar del estentóreo [13] diálogo de las voces, el piano enfundado, los micrófonos cubiertos, esperan que la mujer de la limpieza los reintegre puntualmente brillantes al público de las cinco, de las seis, de las diez de la noche.

Solo en el hall, ante la puerta de entrada, el conserje y el guardia de turno bostezan. El conserje, tras un pequeño mostrador, hace cábalas sobre los puntos [14] a cobrar;[43] el guardia, cruzadas sus flacas piernas, dormita. Los primeros en llegar son los botones.

—...y calcula, toda la tarde bailando.[44]

—¿Con la negra?

---

[12] *acolchados:* revestidos de telas forradas por dentro de algodón, lana, etc. [13] *estentóreo:* ruidoso, retumbante. [14] *puntos:* ayuda económica, en concepto de protección a la familia, que se añadía al salario.

(**42**) No escaseaban, en la radio de esta época, los programas con participación directa del público, que proporcionaba los aplausos necesarios para la buena marcha de la emisión. De la oportunidad del momento en que aquellos habían de producirse no podía caber duda: de ello se encargaba un letrero que señalaba puntualmente cuándo los asistentes debían prorrumpir en cálidos aplausos.

(**43**) La construcción *sustantivo + a + infinitivo,* censurada como galicismo por el uso purista, se ha extendido desmesuradamente en nuestros días.

(**44**) El comienzo de este diálogo moderadamente libidinoso recuerda la técnica cinematográfica de presentación de hablantes que acaban de entrar en el campo de la cámara (Fernández Santos estuvo muy vinculado, como guionista y director, con el mundo del cine).

—Con la morena.

—Parece una negra. ¿Y después de bailar?

—Después, nada.

—¿De lo otro nada? ¿Pero dónde fue la cosa?

—En una reunión. En casa de un amigo.

—Se la saca de allí, hombre.

—¿Y si no sale? ¡Allí te querría yo haber visto!

Entran en el guardarropa y de mala gana visten sus guerreras galonadas [15].

El mayor suspira.

—¡Cuándo seremos viejos para cobrar el subsidio!

El conserje les ha seguido con la mirada. [45]

—¿Has visto? Ni los buenos días.

El guardia no comenta. El otro continúa:

—...ni educación ni nada.

La puerta del hall se abre para la señorita Carmen. Al tiempo que avanza, los dos hombres la contemplan, la envuelven en la mirada ociosa y triste de todos los días, y ella, también como cada mañana, la ignora preguntando:

—¿Ha venido el señor Anaya?

El conserje mueve la cabeza.

—¿Y el señor Masavé?

—No ha venido nadie. Es usted la primera.

—Bueno, déme la llave.

—Ya está dentro la señorita Pepita.

Desaparece. La señorita Carmen, cuando quiere, hace valer su jerarquía, su puesto privilegiado de secretaria del director. Extiende con arte y habilidad una helada barrera en torno a la cálida admiración que nace de su cuerpo.

A poco, suena el timbre del avisador.

—Acaba de llegar y ya está llamando.

---

[15] *galonadas:* adornadas con galones.

[45] Uso anómalo, desde el punto de vista normativo, de *les* para complemento directo.

Nadie acude. El timbre suena hasta que el conserje le hace callar,[46] atravesando el hall, camino del guardarropas.

—¿Pero qué? ¿Os vais a pasar ahí toda la mañana?

Los botones, sorprendidos, se ofenden:

—Ya va, hombre, ya va.

El pequeño, más tímido, sale primero.

—No correrá tanta prisa, digo yo.

—¿Y cuándo hay prisa para vosotros? La señorita Carmen está llamando.

El mayor se apresura.

—Ahí voy yo.

—¿Pero qué pasa ahora?

—¡Que voy yo, te digo!

A las nueve empieza la vida. Llegan las mecanógrafas, sonámbulas por el cansancio del domingo, un poco aburridas de antemano, bajo el brazo la toalla limpia para las manos que los clisés de la ciclostil [16] embadurnan muchas veces al día. Entra Andrés, el jefe de programas, y Agustín, el amigo de Antonio; llegan los redactores, los locutores de estudiada eufonía [17], el viejo zarzuelista fracasado que archiva los discos, y la encargada de publicidad con sus años, su tos, y su genio irascible. Entran en tandas, según el ascensor los sube, y luego que el reloj del hall ha marcado sus tarjetas con un timbrazo agudo, van quedando en el laberinto de puertas anónimas que sin rótulo, ni número, jalonan el pasillo; puertas cuyo destino sólo enseña la costumbre, el repetido peregrinar de cada día.[47]

Por último, a eso de las once, llega el director.

* * *

[16] *ciclostil:* aparato que sirve para copiar muchas veces un escrito. [17] *eufonía:* sonoridad agradable.

(**46**)   Caso de leísmo gramaticalmente incorrecto, al utilizarse *le* para *no persona.*

(**47**)   Reincidencia en la rutina, a la que únicamente Antonio

Hasta la ventana abierta llega el húmedo vaho del otoño. La calle, más allá del cristal, siete pisos abajo, fluye bajo la niebla. Cuando el director entra en su despacho, ya Andrés y Agustín esperan allí. Andrés charla con la novia. Agustín espera que el jefe encienda el receptor para, con la voz del amigo presente, recomendarle.

El director, como todos los lunes, llega un poco cansado. Se sienta a su mesa frente a su propio retrato que le contempla desde la pared, al lado de una vieja fotografía de Alfonso XIII [18] inaugurando la emisora.

—¿Han leído ustedes esto? —Deja caer un periódico del domingo.

Todos conocen el artículo excepto Agustín. Mientras lo va leyendo piensa en Antonio.

...el hecho de que la radio, en las condiciones actuales, constituya el elemento de difusión nacional que más directamente llega a las clases populares es lo que nos hace llamar la atención hoy, no solo sobre la baja calidad de los programas, sino acerca de la ignorancia que del idioma hacen gala nuestros locutores. Toda licencia [19] a este respecto redunda a la larga...[(48)]

—¿Qué les parece?

Agustín interrumpe la lectura. Andrés responde:

—¡Para esto sí que debería haber censura!

—Lo de siempre, ¿no? —opina Agustín.

---

[18] Monarca de España (1886-1941), bajo cuyo reinado se inauguró la primera emisora de radio en nuestro país (1924). [19] *licencia:* libertad abusiva.

(que todavía no ha logrado el puesto de trabajo) parece escapar: los demás se ven obligados a fichar en el reloj de la empresa, que marca en la tarjeta personal la hora de llegada y la de salida.

(48) La reproducción de un texto periodístico responde al planteamiento objetivista del cuento (véanse las Orientaciones para el estudio del mismo).

El director no hace ningún comentario. Dobla el periódico cuidadosamente y lo guarda.

—¿Ustedes creen que hablan tan mal nuestros locutores?

—Los periódicos piensan siempre lo mismo: solo ellos tienen razón. Debe ser porque nadie les hace caso. La radio es un negocio. Cualquiera diría que la prensa la regalan.

Andrés sigue aún explicando sus razones, pero el director ya ha olvidado el asunto. Pide los programas de la semana, que Carmen deposita sobre la mesa.

«Letras y mundos.» Inauguración de una casa de mecanografía. (Intervienen los dueños, que harán declaraciones.) Orfeón[20] Mejicano. Serial. Crítica deportiva patrocinada. Tres guías comerciales. Sederías, boleras, zapatos, espectáculos. Pan tostado y aleluyas[21] de anuncios. Seriales más importantes y dos concursos cara al público. Un breve concierto Chopin[22]. Más guías. Oranges[23]. Retales. Sederías. Camas. Champán. Gabardinas. Purgantes. Regalos de vespas y automóviles. Saldos. El serial de éxito...[49]

La directora de publicidad quiere cargar la mano pero los redactores se resisten. Aunque ellos no lo dicen, el artículo del diario pesa.

De pronto, tras un final melodioso, la voz que Agustín espera les envuelve inesperadamente. Carmen, mientras discuten, ha encendido el aparato del despacho. Todos quedan, por un instante, vagamente suspensos ante el locutor desconocido. El director pregunta.

---

[20] *orfeón:* grupo de cantantes de coro.   [21] *aleluyas:* pareados de versos de carácter popular.   [22] Frédéric Chopin, músico polaco (1810-1849), genuino representante del romanticismo.   [23] *oranges:* refrescos.

(**49**) Repertorio casi completo (con una ausencia destacada: el consultorio sentimental) de lo que venía a ser una emisión radiofónica de la época: entrevistas, noticias, música, seriales, anuncios, concursos...

—Está enfermo Castellón —contesta Agustín eludiendo la respuesta.

—¿Pero este chico quién es?

—Había que llenar ese turno, tan temprano...

—¿Es amigo suyo?

También al director el periódico le preocupa. ¿A qué viene, si no, tanta pregunta?

—Este año imposible. No me metan a nadie. Vamos muy mal de nómina. Al que viene hablaremos.

La voz de Antonio llega, sigue durante la mañana.

Gabardinas. Muebles. Tapicerías. Ron. Galletas. Tejidos. Medias. Día de la Madre.[50] Café. Maltas. Comentario del día.

La voz de Antonio sigue. Antonio sigue. Cada mañana un poco. Pasa el hall y se asoma un momento en el departamento de su amigo. Todos los días. El portero, el conserje, le conocen. Algunos locutores recuerdan vagamente su cara. Agustín, su amigo, le ha dicho saliendo por la tarde el día de prueba:

—Tú sigue viniendo por aquí; tú no lo dejes. Es cuestión de acostumbrarlos, es cuestión de paciencia.

(**50**) Hasta fechas muy recientes, el Día de la Madre se celebraba el 8 de diciembre, festividad de la Inmaculada Concepción. Ya ha quedado establecido que la acción del cuento transcurre un 16 de septiembre de alguno de los años cincuenta. En este último tramo, pues, reencontramos a Antonio en la misma emisora, casi tres meses después.

CARMEN MARTÍN GAITE

Lo que queda enterrado

(1958)

La niña se había muerto en enero. Aquel mismo año, al empezar los calores, reñíamos mucho Lorenzo y yo, por los nervios, decíamos.[51] Siempre estábamos hablando de nervios, de los míos sobre todo, y era un término tan inconcreto que me excitaba más.

—Estás nerviosa —decía Lorenzo—. Cada día estás más nerviosa. Date cuenta, mujer.

A veces se marchaba a la calle; otras se sentaba junto a mí y me pasaba la mano por el pelo. Me dejaba llorar un rato. Pero el malestar casi nunca desaparecía.

Es muy curioso que no consiga recordar, por mucho que me esfuerce, ni uno solo de los argumentos que se trataban en aquellas discusiones interminables. Tan vacías eran, tan

---

(**51**) La narración en primera persona es utilizada, generalmente, como medio de profundización en la interioridad del personaje. Para un cuento de carácter intimista como este, el procedimiento resulta ser el recurso ideal para dar cuenta de la psicología de la protagonista.

inertes [1]. En cambio puedo reconstruir perfectamente algunas de nuestras actitudes o posturas, el dibujo que hacía la persiana en el techo.

También discutíamos en la calle. Principalmente en la terraza de un bar que estaba cerca de casa, donde yo solía ir a sentarme para esperarle, cuando salía de su última clase. Venía cansado y casi nunca tenía ganas de hablar. Fumaba. Mirábamos la gente.[52] La calle, anocheciendo, tenía en esos primeros días de verano un significado especial. Miraba yo la luz de las ventanas abiertas, las letras de la farmacia, los bultos oscuros de las mujeres alineadas en sillas al borde de la acera, de cara a sus porterías respectivas, y seguía los esguinces [2] que hacían los niños correteando por delante de ellas, por detrás, alrededor. Pasaban pocos coches por aquel trecho y había siempre muchos niños jugando. Arrancaban a correr, cruzaban la calle entre risas. También a ratos descansaban junto a las delgadas acacias del paseo, con las cabezas juntas, inclinadas a mirar minúsculos objetos que se enseñaban unos a otros. Me parecía que los conocía a todos y sabía sus nombres, que había estado en sus casas. A veces me daba por imaginar, no sé por qué, lo que harían con ellos si viniese una guerra; dónde los esconderían. Chillaban, parecían multiplicarse. Lorenzo abría el periódico y yo, de cuando en cuando, le echaba un vistazo a los titulares.[53]

---

[1] *inertes:* estériles, inútiles.   [2] *esguinces:* movimientos hechos con el cuerpo, torciéndolo.

(52) El fragmento que sigue desvela algunas claves de la personalidad de la mujer que protagoniza el cuento: una gran capacidad de observación, cierta tendencia a la fantasía y, por encima de todo, una acusada hipersensibilidad que le hace percibir de manera angustiosa su propia soledad, en un espacio que su marido no puede ocupar satisfactoriamente.

(53) Se va generalizando el uso del pronombre *le*, en lugar de

«Una barriada de 400 viviendas.» «Peregrinación juvenil.» «Nuevo embajador británico.» No lo podía soportar. Detrás de un silencio así, sin motivo, estallaba la riña. No le podía decir que me irritaba que leyese el periódico. Nos habíamos reído tantas veces de los matrimonios de los chistes. Me empezaba a quejar de soledad, de cualquier cosa, ya no recuerdo. Todo lo mezclaba: iba formando un alud confuso con mis palabras y bajo él me sentía aplastada e indefensa.

—No se sabe qué hacer contigo, mujer, qué palabra decirte —se dolía Lorenzo—. Contrólate, por Dios. No hay derecho a ser así, como tú eres ahora, a estarte compadeciendo y analizando durante todo el día. Lee, busca un quehacer, no sé... No puedes estar viviendo en función de mí; tú tienes tu vida propia. Te la estás deshaciendo y amargando.[54]

De la niña no habíamos vuelto a hablar nunca, ni hablábamos tampoco del nuevo embarazo. A veces me preguntaba él: «¿Qué tal te encuentras hoy?», y yo le contestaba que muy bien —porque en realidad de salud estaba muy bien—; pero no decíamos nada más ni él ni yo, procurábamos cambiar de tema, y pienso que era por miedo.

Lorenzo tenía mucho trabajo aquel verano. Se había quedado más delgado.

—Yo no puedo cuidar de ti —me decía—. Ya sabes todo

---

la forma *les,* para complemento indirecto en plural. No deja de ser, en todo caso, una incorrección gramatical.

(54) Uno de los elementos que en mayor medida contribuyen a la atmósfera pesimista del cuento es el hecho de que la actitud del marido no es realmente el origen de la soledad de su mujer, de raíces más existenciales que puramente circunstanciales. En tiempos de mayor felicidad, ambos se reían de los matrimonios de los chistes; ahora, superada la inicial etapa de ilusión, el suyo está a punto de protagonizar el drama del distanciamiento.

el trabajo que tengo. Pero vete a ver a tu hermana. O
llámala más. No estés siempre sola.

A mi hermana no me gustaba llamarla. Se eternizaba al
teléfono, se ponía a darme consejos de todas clases. Después
de su cuarto hijo, se había convertido en un ser completamente pasivo y rutinario, cargado de sentido común, irra-
diando experiencia. No me daba la menor compañía y
evitaba verla. Ella, que creía entender siempre todo, acha-
caba mi despego[3] a la desgracia reciente, de la que hablaba
con una volubilidad[4] de mujer optimista.

—Te cansarás de tener hijos —decía—. Te pasará lo que
a mí. Y a aquella la tendrás siempre en el cielo, rezando por
sus hermanos. Un ángel, velando por la familia.[55]

Y este sentido egoísta de querer sacar provecho y consuelo de lo más oscuro, era precisamente la cosa que más me
rebelaba. Era terrible, disparatado lo que había ocurrido, y
ella, con sus adobos[5], lo hacía más siniestro todavía.

Sin embargo, y a pesar de no tener ningún objeto,
algunas tardes, durante la hora de la siesta, la inercia de
otras veces me condenaba a telefonear a mi hermana, la
pura indecisión que me llevaba de una habitación a otra. Le
explicaba, por ejemplo, la pereza que me estaba dando de
empezar a meter la ropa de invierno en naftalina; y ella
corroboraba y alentaba mi apatía, manifestando una pasmo-
sa solidaridad con mis sensaciones. No sabíamos si emplear

---

[3] *despego:* alejamiento, desvío.   [4] *volubilidad:* frivolidad.   [5] *adobos:* elementos añadidos a algo.

---

(55) La figura de la hermana es utilizada (y de nuevo en
sentido pesimista) como elemento contrastante de la del personaje
principal. La inquietud que este siente no le puede deparar la
felicidad que únicamente parece al alcance de los seres rutinarios,
conformistas y psicológicamente equilibrados, características todas
ellas que definen a la hermana.

los sacos de papel o comprar otros de plástico. Los del año
anterior se habían roto un poco.

—Lo peor es cepillarlo todo, chica. Eso es lo peor.
Tenerlo que sacar para que se airee. Yo llevo tres días
intentando ponerme con ello, y no encuentro momento
bueno.

—Lo mismo que yo. Igualito.

—Si quieres que vaya a ayudarte una de estas mañanas.

Pero yo daba largas, ponía un pretexto. Cuando colgaba
el teléfono, después de hablar con mi hermana, tenía la
lengua pastosa como si fuera a vomitar, y me aburrían el
doble que antes los problemas de la polilla y similares, en los
cuales me había mostrado absolutamente de acuerdo con
ella y respaldada por su testimonio.

A partir de las cinco empezaban a oírse los golpes de los
albañiles que trabajaban en la casa de al lado. Solamente
después de estos golpes —eran como una extraña señal—
conseguía dormirme algunas veces, y ellos me espantaban el
miedo, cuando lo tenía. Me entraban unos miedos irracio-
nales y furibundos, mucho más que de noche. Me parecía
que la niña no se había muerto, que estaba guardada en el
armario del cuarto de la plancha, donde crecía a escondi-
das, amarillenta, y que iba a salir a mi encuentro por el
pasillo, con las uñas despegadas. Eran lo peor, las siestas.
Pasaba todo el tiempo decidiendo pequeños quehaceres que
inmediatamente se me hacían borrosos e inútiles, tumbán-
dome en la cama y volviéndome a levantar, empezando
libros distintos, dejando resbalar los ojos por las paredes y
los muebles.

Una de estas tardes, inesperadamente, fue cuando me
quedé dormida y soñé con Ramón.

Yo iba de prisa por una calle muy larga, llena de gente,
y lo vislumbré, en la acera del otro lado, medio escondido en
un grupo que corría. Llevaba barba de varios días, el pelo
revuelto, y eran sus ropas descuidadas y grandes como si se

las hubiera quitado a otra persona. Pero le reconocía. Se
separó de los demás y quedamos uno enfrente del otro, con
la calzada en medio, por la cual no circulaban coches, y sí,
en cambio, muchas personas apresuradas y gesticulantes.
A través de los claros que dejaban estas personas, nos miramos un rato fijamente, los dos muy quietos, como para
asegurarnos, y él parecía una estatua con ojos de cristal. La
gente empezó a aglomerarse y a correr gritando, como si
huyeran[56] de algún peligro, y retrocedí a apoyarme en la
pared para que no me arrastraran con ellos. Durante un
rato muy largo tuve miedo de que me aplastaran. «¿Se
habrá ido?» —pensaba entretanto, sin moverme, porque no
me lo dejaban ver—. Pero cuando todo quedó solitario, él
estaba todavía enfrente y se había hecho de noche. Estaban
encendidos unos faroles altos de luz verdosa. Cruzó despacio
por la calzada. Acababa de pasar una gran guerra, una
gran destrucción: había cascos rotos y trozos de alambradas
y metralla. Llegó a mi lado y dijo: «Por fin te vuelvo a ver.»
Y era como si aquella guerra desconocida de la que había
restos en la calle, hubiera servido para que nosotros volvié-
ramos a vernos. No le pregunté nada. Me cogió del brazo y
echamos a andar. Se oían canciones que venían del final de
la calle, y me dijo él que allí había un puerto con barcos
anclados, a punto de zarpar. «Vamos de prisa, no se nos
vaya a escapar el último» —apremió. Íbamos, pues, hacia
aquel puerto, los dos juntos, en línea recta, sin ninguna
vacilación. Sonaban nuestros pasos en la calle.

De pronto ocurrió algo extraño. Fue, tal vez, un crujido
en el suelo de la habitación. Yo seguía con los ojos cerrados,
pero supe que estaba soñando. Las pisadas perdieron consis-
tencia, todo iba a desaparecer. Sin embargo, me quise

(**56**) No es infrecuente la concordancia, en la lengua escrita, del
sustantivo colectivo («gente») con un verbo en plural («huyeran»,
«arrastraran»).

comportar como si no supiera nada. «Dime dónde has estado estos años. Dime dónde vives» —le pedí con prisa a Ramón, apretándome fuertemente contra su costado—. Y todavía lo veía, lo sentía conmigo. Dijo algo que no entendí. La calle se estrechaba tanto que por algunos sitios rozábamos las paredes, y ya no había faroles. La noche era ahora absolutamente oscura. Delante de nuestros ojos, igual que asomadas al sumidero de un embudo, temblaban en pequeños racimos las luces de aquel puerto desconocido, que en vez de acercarse, se alejaban. «Si nos da tiempo de llegar a lo iluminado —pensaba yo con un deseo ardiente—, entonces todo será verdad. Allí hay gente. Seguro. Nos perderemos entre la gente.» Pero la calle era muy larga. Y tan irreal. Ya no había calle siquiera. Solamente chispas de colores dentro de mis ojos, aún cerrados, Ramón, nada. Me moví. La almohada estaba húmeda debajo de mi nuca. Una mano me tocó la frente. El aliento de Lorenzo.

—Dormilona. ¿Sabes qué hora es?

Cualquier hora. No sabía. Solo pensaba que se había ido el último barco.

—¿Hace mucho rato que estás ahí? —le pregunté, a mi vez, sin abrir todavía los ojos.

—Nada. Acabo de entrar. No sabía si despertarte. Pero son las nueve, guapa. No vas a dormir a la noche.

Me incorporé. Me froté los ojos. Estaba dada la luz del pasillo.

—¿Las nueve? Entonces, ¿no he ido a buscarte?

—No, claro —se reía—. Vaya modorra que tienes, hija.

—¿Me has estado esperando?

—Sí, pero no importa. Tienes mucho calor aquí, mujer.

Le miré, por fin, en el momento en que avanzaba para levantar la persiana. Entró un piar de vencejos [6], una claridad última de día.

---

[6] *vencejos:* pájaros parecidos a las golondrinas.

—Ni siquiera he bajado a comprar cosas para la cena. No sé qué me ha pasado —me disculpé.

—Bueno, qué más da. Bajamos a comer un bocadillo.

Me fui a lavar la cara. El sueño no se me despegaba de encima. No era un peso todavía, era una luz. Me movía dentro de aquella luz, en la estela que el sueño había dejado.

—¿Tienes dinero?

—No. Coge tú.

Bajamos la escalera. Era un sábado y los bares estaban llenos de gente. Miramos dos o tres desde la puerta, y a Lorenzo ninguno le gustaba. Por fin decidió quedarse en el más incómodo y aglomerado.

—Total, para un bocadillo —dijo.

Yo no decía nada. Nos sentamos. Había muchos novios comiendo gambas a la plancha, mirándose a los ojos cuando se rozaban los dedos al limpiarse en la servilleta. Me empezó a entrar el malestar.

—Estás dormida todavía. ¿Por qué no te tomas primero un café?

—Bueno.

—Y eso que no, porque te va a quitar el sueño.

—Claro, es verdad.

—Pero, ¿qué te pasa?

El camarero estaba parado delante de nosotros.

—Nada, no me pasa nada. Voy a tomar lo que tomes tú.

Pedimos dos bocadillos con cerveza y estuvimos en silencio hasta que nos los trajeron. Me acuerdo del trabajo que me costaba masticar y que no era capaz de apartar los ojos de un punto fijo de la calle.

—Oye —dije por fin a Lorenzo—; ¿sabes lo que me gustaría? Volver a Zamora. Pero contigo. ¿No te gustaría?

Él no contestó directamente. Se puso a decir que ya se había enterado seguro de que le era imposible tomarse ni tres días de vacaciones por la preparación intensiva de la academia. Tenía una voz átona y se pasaba la mano por los ojos. Había dejado las gafas sobre la mesa, junto al bocadillo, aún sin empezar.

—Estoy más cansado —dijo.

—Pero come, hombre.

—Ahora comeré. Lo siento por ti, lo de no poder ir unos días a algún sitio. Por ti lo siento más que por mí; me lo puedes creer. ¿Por qué no te vas tú donde vaya tu hermana? ¿O no salen ellos?

—No sé nada. Pero si además, da igual.

Lorenzo se puso a comer. Solo después de un rato se acordó de mi sugerencia del principio. Se me quedó mirando.

—Oye, ¿qué decías tú de Zamora? Algo has dicho.

—Nada, me estaba acordando, no sé por qué, de lo bien que se estaba allí en el río. Me gustaría que fuéramos juntos alguna vez para enseñarte los sitios que más quiero. Hay un parque pequeño al lado de la Catedral..., ¡qué cosa es aquel parque, si vieras!

—A lo mejor ahora, después de los años, ya no te gustaba.

—A lo mejor. Pero tú, ¿no tienes curiosidad por conocerlo? Eso es lo que me extraña, con tanto como te hablo siempre.

En el rostro de Lorenzo no se reflejaba la menor emoción.

—A ti te gusta Zamora porque has pasado un tiempo allí —dijo con la misma voz sin matices—, pero no tiene sentido que yo intente compartir esos recuerdos, y nunca me los podría incorporar. En cuanto a Zamora en sí misma, no creo que tenga gran interés. Ya sabes que a mí me angustian las pequeñas ciudades muertas.[57]

---

(57) Antes de venir a Madrid, Carmen Martín Gaite vivió en Salamanca, ciudad de la que es natural y en la que estudió su carrera de Filosofía y Letras. La limitación de una ciudad de

Nos pusimos a discutir sobre si Zamora era o no una ciudad muerta, y hasta qué punto era lícito aplicarle este concepto de muerte a las ciudades. Yo me acordaba de los muchachos que bajaban en bicicleta a las choperas [7], de la huerta de tía Luisa, de las Navidades, cuando esperábamos con emoción la vuelta de los amigos que habían ido a estudiar a Salamanca, a la Universidad. Ramón se quedó allí todo un verano después de conocerme, casi sin dinero, sin escribir a sus padres. Decía que Zamora era la ciudad más alegre del mundo, y no se quería ir. Nos bañábamos en el Duero. Yo tenía diecisiete años. Nunca lo volví a ver.

La discusión con Lorenzo, que ya se había iniciado floja, languideció completamente y, tras un silencio, volvimos a casa.

Al llegar al portal, vino el cartero con el correo. [58] A mí nunca me escribe nadie, pero ese día tenía una carta sin remitente, y traía mi nombre de soltera escrito a mano en una caligrafía que me parecía recordar. En el ascensor, tanta era mi zozobra, que no hacía más que apretar el sobre contra el pecho, sin abrirlo.

—¿Quién te escribe? —preguntó Lorenzo—. ¿Esperabas carta de alguien?

—No, de nadie —me apresuré a decir—; por eso me extraña.

---

[7] *choperas:* sitios poblados de chopos.

provincias está retratada en su novela *Entre visillos*, coetánea de este cuento.

(58) La secuencia narrativa que sigue es fundamental para comprender el sentido completo del cuento. La protagonista, asfixiada por la rutina y la soledad, angustiada por el recuerdo de la hija muerta y por los problemas psíquicos y fisiológicos del nuevo embarazo, hipervalora cualquier elemento nuevo de la realidad, cualquier dato, por intrascendente que sea, que contribuya a devolverle la emoción de vivir.

Y en un acto de valor, rasgué el sobre. Era una cartulina de una modista mía antigua, anunciando que se había cambiado de domicilio. Me temblaban un poco los dedos al alargársela a Lorenzo, que me estaba mirando.

Él se quiso acostar pronto aquella noche porque estaba cansado, y yo me quedé asomada al balcón. Vino a darme las buenas noches con el pijama puesto.

—¿No te acuestas tú?

—Todavía no.

—¿Vas a tardar mucho? Yo es que me caigo, oye.

—Ya veré. Ahora no tengo sueño.

Abajo, en el bulevar [8], los novios tardíos venían abrazados del barrio de los desmontes [9]. Traían un ritmo inconfundible, lentísimo.

—Bueno, entonces no te parece mal que me acueste.

—¿Por qué, hombre? Claro que no.

—Pero tú lee un poco o haz algo, mujer. No te quedes ahí pasmada, mirando, que luego te entran las melancolías.

—Bueno.

Se metió, después de haberme besado, y casi en seguida volvió. Me asusté un poco.

—Tonta, si soy yo. Quién va a ser.

—No sé. Nadie.

—Que digo, oye, que tú puedes ir a Zamora o adonde quieras. Lo estaba pensando. A lo mejor te gusta volver sola allí. Tendrás amigos.

Me tenía cogida por los hombros. El sueño truncado, desde que había vuelto a casa, me estaba asaltando como una basca [10]; lo tenía muerto en la entrada de la garganta. Me decidí a libertarme de él.

—No —dije con la voz más normal que supe—; no tengo

---

[8] *bulevar:* calle ancha con árboles. [9] *desmontes:* parajes de terreno en los que se han cortado árboles y matas. [10] *basca:* ansia que se experimenta en el estómago cuando se quiere vomitar.

ya amigos. Si además, fíjate, el recuerdo de Zamora me ha venido esta tarde por una tontería, por un sueño que he tenido en la siesta.

—Qué molestos son los sueños de la siesta —dijo Lorenzo—. Dejan un dolor de cabeza. A mí por eso no me gusta dormir siesta. Por la noche nunca sueño nada. Se descansa mejor.

Me iba a callar definitivamente, pero seguía necesitando decir el nombre de Ramón, para que perdiera aquel hechizo absurdo. Necesitaba decirlo fuerte y casi con risa, como si tirara piedras contra un cristal.

—Pues yo hoy he soñado con un chico que conocía allí, en Zamora. Aquel tal Ramón, uno medio chiflado que me hacía versos, ¿no te acuerdas que te he contado cosas de él?[59]

Lorenzo se dio una palmada en la cara y separó pegado en la mano un mosquito muerto. Sonreía.

—No sé —dijo—, no me acuerdo.

Y luego bostezó. Pero, al mirarme, debió ver en mis ojos la ansiedad que tenía por oírle responder otra cosa porque rectificó, con un tono amable:

—Ah, sí, mujer, ya me acuerdo de quién era ese. Uno que construía cometas.

—¿Cometas? Por Dios, si este era el primo Ernesto, qué tendrá que ver. ¿Ves por lo que me da rabia contarte nunca nada? Lo oyes como quien oye llover, estás en la luna. De Ernesto te he hablado mil veces, ¿es posible que no te importe nada lo que te cuento? ¿Ves cómo es verdad lo que te decía ayer?...

Casi estaba al borde de las lágrimas.

—No empecemos, María —cortó Lorenzo con voz

(**59**) En la lengua hablada (y en la escrita que la refleja) es frecuente la omisión de la preceptiva preposición *de* tras el verbo *acordarse*.

dura—. No tienes motivo de empezar a hacerte la víctima porque haya confundido a dos de tus amigos de la infancia a los que no conozco, y que carecen de importancia para mí, como comprenderás.

Hubo una pequeña pausa. Se había levantado algo de fresco. Yo miraba tercamente las luces del bulevar.

—Bueno, mona, me meto —dijo Lorenzo después, esforzándose por volver a tener una voz dulce y atenta—, no me vaya a enfriar. ¿No te pones una chaqueta tú?

—No. No tengo frío.

—Pues buenas noches.

—Adiós.

Me quedé mucho rato asomada. Se empezó a quedar sola la calle. De vez en cuando alguien llamaba al sereno con palmadas, y él cruzaba de una acera a otra, corriendo, con su blusón y su palo, entre los coches velocísimos. La luna, que se incubó [11] roja detrás de un barrio barato en construcción, había subido a plantarse en lo alto, manchada, difusa, y parecía que, en el esfuerzo por irse aclarando, se desangraba y hacía más denso el vaho sofocante que empañaba su brillo. Me sentía desmoronar, diluir. Igual que si la luna desprendiera un gas corrosivo. Pero no quería dejar de mirarla. De codos en su ventana, al otro lado del paseo, también había una chica que alzaba sus ojos a la luna, y creo que me había descubierto a mí. En el interior de la habitación había luz, pero debía estar sola. Estuvimos mucho tiempo; ella se metió primero y apagó. En el bulevar las motos ametrallaban con sus escapes.

Cuando me acosté eran casi las dos y sabía muy bien que no iba a dormir. No había hecho caso a Lorenzo; no había leído una línea ni había tenido un solo pensamiento organizado, constructivo. Me debatía, encerrada en vaguedades.

Varias veces me levanté de mi cama a la de Lorenzo,

---

[11] *se incubó:* comenzó a mostrarse.

que apenas se había movido cuando entré, y allí sentada
sobre la alfombra de su lado, mirándole dormir, luchaba
entre el deseo de despertarle y la certeza de que sería inútil
para los dos. Le cogí, por fin, una mano; se la estuve
besando, y él, sin despertarse, me acarició, la puso de
soporte para mi cabeza. Solamente hizo un gesto de impa-
ciencia cuando empezó a notarse el brazo mojado por mis
lágrimas.

—Pero, mujer, ¿ya estamos?, ¿ya estamos?, ¿qué te
ocurre, por favor? —repetía con una voz pastosa, de borracho.

Se volvió a dormir, de bruces hacia la ventana.

Entonces me asaltó una furia especial, un deseo de salir,
de rasgar, de librarme de todo. Me tumbé en la cama, boca
arriba, con los ojos abiertos, y el recuerdo del sueño de la
siesta me empezó a caer gota a gota potente y luminoso, sin
que intentara ahuyentarlo. Al principio era un gran alicien-
te intentar reconstruirlo, irle añadiendo fragmentos nuevos;
y cerraba los ojos con la esperanza rabiosa de meterme otra
vez por aquella calle de los faroles a recobrar la compañía
de mi amigo, camino de aquel barco que escapaba. Pero lo
que quería era llegar, seguir el sueño. A ratos, de tanto
intentarlo, la calle reaparecía, me colaba en ella por no sé
qué ranura, y me volvía a ver del brazo de Ramón, pero
todo estaba quieto, tenía una luz falsa de escenario. Solamente a la fuerza conseguía mover las figuras, que repetían
exactamente el pequeño argumento y después se paraban
como si no tuvieran más cuerda. Al final, las imágenes
habían perdido todo polvillo de luz. Me di por vencida.

No sé cuántas veces me volví a levantar y a asomar al
balcón. Contra la madrugada ya era incapaz de aguantar
en casa, y había tomado mi decisión de salir en cuanto
abrieran los portales. Me vestí sin que Lorenzo se desperta-
ra. Era domingo. Él no tenía prisa de levantarse; seguramente dormiría hasta mediodía. Podía yo, incluso, tomar un

tren de los que salen temprano a cercanías y tal vez volver antes de que se hubiera levantado él. ¡Dios, pasarme un rato echada entre los pinos, no acordarme de nadie ni de nada, salirme del tiempo! Esta idea, que me vino ya en la calle, después de haber deambulado sin rumbo, se afianzó en mí, apenas nacida, y me llevó en línea a la estación del Norte [12], donde ya bullía alrededor de las ocho el hormigueo de las familias con niños y fiambreras, que se agrupaban alborotadamente para coger los trenes primeros. Me dejé ir entre ellos. Algunos todavía tenían sueño y se sentaban un momento, mirando el andén sin verlo, entre los bultos dispersos, mientras los otros cogían el billete. Presentaban un aspecto contradictorio con sus ojos adormilados bajo las viseras, los pañuelos de colorines.

Iba a ser un día de mucho calor. Todavía en el bar, junto a algunos de estos excursionistas, antes de tomar un tren que me iba a llevar no sabía dónde, y sin haberme decidido del todo, me acordaba de Lorenzo, de si no habría sido mejor avisarle por si acaso tardaba en volver; imaginaba su despertar sudoroso. Pero en cuanto me subí al tren y se puso en marcha, en cuanto me asomé a la ventanilla y me empezó a pegar el aire en la cara, se me borró todo pensamiento, me desligué.

Hice todo el viaje asomada a la ventanilla. Había tomado billete para el primer pueblecito donde el tren se detenía, pero seguí más allá. El revisor ya había pasado y me resultaba muy excitante continuar sin tener billete, desnuda de todo proyecto y responsabilidad. El tren corría alegremente. Algunos de los excursionistas habían empezado a cantar. Yo cerraba los ojos contra mi antebrazo. En un cierto momento, una señora me preguntó que si sabía cuánto faltaba para Cercedilla [13].

---

[12] Estación de ferrocarril madrileña.   [13] Pueblo situado al noroeste de Madrid.

—No lo sé —contesté—, pero ya nos lo dirán.

—Ah, usted va también a Cercedilla.

Y le contesté que sí, como podía haberle contestado que no. Pero de esta manera me sentí comprometida a apearme en ese sitio y no en otro, y de esta manera vine a pasar en Cercedilla aquel domingo de junio.

No me puedo explicar cómo se me pasó el día tan de prisa. Por la mañana, encontré un pinar que me gustó y me adentré, trepando a lo más solitario. Desde allí veía tejados de chalets y oía risas de personas que estaban lejos, más abajo. Me quedé dormida con un ruido de pájaros sobre la cabeza.

Desperté a las tres de la tarde y bajé al pueblo. Vagamente volví a pensar en Lorenzo, pero ya no tenía intención de volver hasta la noche. Estaba alegre y sentía una gran paz. Las calles del pueblo estaban casi desiertas; los que venían en el tren a pasar el domingo habrían buscado, sin duda, para comerse sus tortillas, rincones apartados y sombríos que ya conocerían de otras veces. Pasé por una calle pequeña a la sombra de grandes árboles, donde daban las traseras [14] de muchos jardines de chalets ricos. No se oía un ruido. No se veía a nadie. Solo chorreaba una fuente. Me senté allí un rato, en una piedra que había, mirando asomar madreselvas [15] por encima de una verja alta que tenía enfrente. Me gustaba estar allí. En parajes semejantes a este había yo situado los cuentos de mi infancia.

Cuando me entró apetito eran más de las cuatro, y en los cafés del pueblo ya no daban comidas calientes. Pedí un bocadillo y un refresco en la terraza de un hotel de media categoría. En una mesa cercana había dos señoras y una chica como de diecisiete años, vestida de negro. Hablaban las señoras de la muerte del padre de la chica, hermano

---

[14] *traseras:* partes posteriores.   [15] *madreselvas:* matas de flores olorosas, muy frecuentes en los matorrales.

también de la más sentenciosa de ellas dos, mujer refranera [16]. La otra escuchaba y suspiraba con mucha compasión,
mientras que la chica, de la cual hablaban como de un
objeto, sin el menor cuidado de herirla, miraba a lo lejos con
una mirada tristísima, las manos cruzadas sobre la falda
negra, sin intervenir. Supe la situación económica tan
precaria en que se había quedado y me enteré de vicios
de su padre. Una vez se cruzaron sus ojos con los míos. Yo
ya había acabado de comer y pensaba dar un largo paseo.
No me hubiera importado llevármela de compañera aquella
tarde, y me daba pena levantarme y dejarla con su tía y la
otra, condenada a aquella conversación de recuerdos y
reflexiones sobre el muerto.[60] Más allá, junto a la barandilla que daba a la carretera, un chico de pantalones vaqueros
ensayaba gestos de hombre interesante, delante de un libro
que tenía abierto sobre la mesa. Pero no lo leía. Echaba
bocanadas de humo, cruzaba las piernas y las descruzaba, y,
sobre todo, me miraba sin cesar, primero disimuladamente,
luego ya de plano. Hasta que se levantó y vino a apoyarse
en mi mesa.

—Oye —dijo con aire desenvuelto—. Para qué vamos a
andar con presentaciones. Yo vivo en este hotel y me aburro
mucho. ¿Tú has venido a veranear aquí también?

—No. Estoy de paso.

Se rió. Tenía pinta de estudiante de primero de carrera.

—No lo digas tan seria, mujer. Solo quería preguntarte

---

[16] *refranera:* que utiliza con frecuencia refranes o frases con un contenido
semejante al de aquellos.

~~~~~~

(**60**) Con la aparición del personaje marginal de la chica se
incide en uno de los temas subyacentes en el relato: el apagamiento
de los estímulos vitales, el hundimiento en una existencia casi
muerta por rutinaria, futuro este que no es difícil predecir para la
joven.

por las buenas si te gusta estar sola o prefieres que me pase
yo la tarde contigo. Si me dices que sola, pues tan amigos;
pero si me dices que conmigo, más, y además me haces un
favor. Te puedo enseñar muchos sitios bonitos, porque ya
estuve el año pasado.

La chica de luto nos miraba atentamente.

—Muchas gracias, pero prefiero estar sola.

—¿Es rubio o moreno tu novio? —preguntó.

Yo me puse a mirar el vaso vacío de mi refresco, sin
contestar nada. Y me divertía.

—Bueno, tengo buen perder —dijo separándose—. Pero
me dejarás que te diga que eres muy guapa, ¿no? Yo creo
que eso no ofende a nadie.

Levanté los ojos con simpatía.

—A nadie. Muchas gracias.

Al poco rato me levanté para irme, y, al pasar al lado de
su mesa, le sonreí como si fuéramos amigos. Era rubio, muy
guapo y muy joven. Seguramente no había notado mi
embarazo.[61]

A partir de ese momento, empezó a descender el día.
Quiero decir que sentí cómo se precipitaba hacia su desem-
bocadura. Di un paseo por una carretera que subía entre
pinares, y llegué bastante lejos, hasta un merendero donde
había muchos matrimonios. Allí me senté y vi cómo atarde-
cía poco a poco; allí pregunté los horarios de los trenes que
regresaban, y desde allí, ya casi de noche, salí para la
estación. Los matrimonios habían merendado como fieras.
Sardinas en lata, chorizo, tortilla y mucho vino. Estaban
todos en pandilla y se daban bromas al final los maridos

(**61**) Por unos instantes, María se ha sentido renacer a la vida:
un estudiante se ha interesado por ella, ha dado por supuesto que
no está casada (o, lo que es lo mismo, que es lo suficientemente
joven como para permanecer todavía soltera), e incluso la ha
piropeado.

unos a otros, y también unos a las mujeres de los otros. Supe el nombre de todos, y me daban pena porque creían que se estaban divirtiendo muchísimo.[62] De vez en cuando me echaban una mirada entre curiosa y compasiva.

En el tren, ya de vuelta, me volvió la atadura de Madrid, la preocupación por Lorenzo, y me parecía, al contrario de lo que me pareció al ir hacia allí, que el tren andaba despacísimo. Iba lleno hasta los topes, y, a medida que nos acercábamos a Madrid, se notaba más el ahogo, el aire denso y quieto, aumentada esta sensación por las apreturas del pasillo y por el sudor de la gente que bebía en sus botijos y botellas, sin dejar de cantar.

Salí por los andenes con la riada de todos aquellos compañeros de domingo, y tomé el Metro con ellos. Ya eran casi las once cuando llegué a mi barrio, con un nudo de desazón en la garganta. En el primer semáforo que hay, camino de casa, esta angustia por Lorenzo se hacía tan irresistible que no podía esperar y puse el pie en la calzada antes de que se apagara la luz roja. Di dos pasos.

—¡¡María!! —gritó una voz alterada, desde la otra acera—. ¡Ten cuidado!

Pasó una moto, casi rozándome, y el ocupante volvió la cara para decirme no sé qué. Retrocedí, aturdida. Miré al otro lado de la calzada y vi a Lorenzo que me hacía gestos de susto y amenaza, señalándome la luz roja, que no se acababa de apagar. Sin duda había salido a esperarme a la esquina y desde allí me había descubierto. Estaba serio y no se había afeitado. Tenía los ojos hundidos, como los de Ramón en el sueño.[63]

---

(62) El estado depresivo en que el personaje se halla sumido le hace sentirse enteramente al margen de una realidad exterior que no comprende y con la que no se siente identificado: ¿cómo es posible, razona interiormente, que los demás se diviertan y parez-can felices, cuando ella no lo es?

(63) María está dando los primeros pasos en su forzado retorno

—Estás loca —me dijo, cuando llegué a su lado—, loca completamente. No sabes ni cruzar una calle. Luego quieres que me quede tranquilo contigo. No me puedo quedar nunca tranquilo, ¿cómo quieres? Te pueden pasar mil cosas cuando vas sola, atolondrada. Te ha podido matar esa moto, no sabes cómo te ha pasado.

Hablaba aceleradamente, abrazándome. Luego se separó y nos pusimos a andar hacia casa. Yo no esperé a que me preguntara nada y empecé a contarle de un tirón todo lo del viaje a la sierra después de la noche de insomnio, cómo lo había decidido de repente por la mañana y pensaba haber vuelto a mediodía, pero que se me habían ido las horas volando, no sabía cómo.

—¿Tú has estado preocupado por mí? —le pregunté con cierto regodeo [17].

Y entonces él se detuvo y nos miramos. Tenía los ojos con cerco; lo sabía yo, cuánto habría llorado pensando lo peor, porque es pesimista; me imaginé, ahora de pronto, su tarde interminable, sus llamadas a casa de mi hermana. Sin embargo, no hizo alusión a nada de esto ni contestó a mi pregunta. Me desasosegaba sentir su mirada grave sobre mí.

—Di algo, por favor —le pedí.

—Que no eres seria, María, eso te digo —dijo tristemente—. Parece mentira que todavía no hayas aprendido a ser seria. Lo he pensado toda la tarde. Necesitas encender

---

[17] *regodeo:* deleite, complacencia, y también tono ligeramente burlón en el modo de hablar.

---

a la realidad de la vida (rutina, incomunicación, soledad) tras su fugaz escapada al ensueño. Ramón (la ilusión de lo desconocido) ya no existe más que en el inútil recuerdo; la realidad (Lorenzo) está de nuevo frente a ella, y esa identificación aparencial de los dos hombres de su vida apunta precisamente en dirección al sometimiento de la fantasía a la aburrida cotidianidad.

hogueras, dar saltos, hacer lo que sea para que uno esté
pendiente de ti. No piensas más que en eso. Si no estuviéra-
mos esperando un hijo, te diría que no volvieras conmigo, si
es que te has cansado de estar en mi compañía, como me
parece. También esto lo he pensado muy seriamente esta
tarde, porque me agobia, me desespera, verte como te veo.
Y no poder hacer nada por ti.

Le quise interrumpir con mis protestas, me apreté contra
él, pero seguía serio.

—Y, aun esperando un hijo, tú sabrás —continuó—; tú
dirás si lo prefieres, a pesar de todo.

—Pero si prefiero ¿qué?, ¿irme? ¿Hablas en serio?

—Irte, sí. Aún, al hijo, no le hemos visto la cara ni nos
ata. Ni siquiera sabemos si va a nacer o no. Puedes tomar la
decisión que quieras, y yo la tomo contigo, me hago
solidario de ella desde ahora mismo. Se hará lo que tú digas.
Pero que yo no tenga que volver a pasar una tarde como la
de hoy.

Me eché a llorar.

—¿Cómo puedes decir que no sabemos si va a nacer o
no? —estallé—. ¿Por qué lo dices? Va a nacer, claro que lo
sabemos. Tiene que nacer. ¿Tú por qué has dicho eso? ¿Te
ha pasado algo, has tenido algún sueño, alguna corazonada?
Di, por Dios.

—Pero, mujer, qué bobadas dices, qué corazonada ni
qué sueño voy a tener.

—¿Entonces?

—Nada. Lo digo porque cabe en lo posible.

—Pues no lo digas, no lo puedo oír, no lo digas. Me
pongo mala solo de pensarlo.

Lorenzo me cogió por los hombros. Andábamos pequeños trechos y nos volvíamos a detener.

—Anda, calla, no seas extremosa [18] —dijo—. Se debe

---

[18] *extremosa:* que no conoce el término medio en la expresión de sus
sentimientos.

poder decir todo. Lo que sea, va a pasar igual, diga yo lo que diga. Pero deja de llorar, ¿por qué lloras?

—Habías dicho que no querías que naciese, que no lo querías —decía yo, sollozando contra su chaqueta—, dijiste que no te hacía ilusión..., y por eso lloro, porque se te ve muy bien que no te hace ilusión.

—Pero la ilusión qué es, mujer. Parece mentira que todavía no sepas a lo que queda reducida la ilusión. Había dicho que no quería más hijos, pero ahora ya eso, qué importa; háblame de cosas reales. Cuando lo vea lo aceptaré y lo querré, supongo. Y tendré miedo. Más que ahora todavía. Y procuraré que crezca, y esas cosas. Ilusión, ¿cómo la voy a tener?, ¿para qué?

—Para que yo me consuele. Para que no esté sola. No me consuelas nunca tú; todo me lo dices crudamente.

—Porque quiero que seas una mujer, que te hagas fuerte. La fuerza la tienes que buscar en ti misma, aprender tú sola a levantarte de las cosas. Si te consuelo y te compadezco y te contemplo, cada vez te vuelves más débil. Tienes que aceptar las cosas duras, cuando son duras, y no pedirme que te las haga yo ver de otro color más agradable, pero falso.[64]

Yo ya no lloraba. Avanzamos un rato en silencio. Estábamos llegando a casa, y él me rodeaba con su brazo derecho.

—Lo que no sabía —dijo con dulzura— es que tú tuvieras tantas ganas de este hijo. ¿Tantas ganas tienes de verlo, realmente?

Me paré. Me ahogaba de emoción. Había esperado mucho esta pregunta.

—Lorenzo.

(**64**) El rasgo dominante en la personalidad de Lorenzo es su implacable realismo, en duro contraste con el carácter de su mujer, por entero opuesto al suyo.

—Dime.

—Será un niño, esta vez, ¿verdad que sí? ¿Tú qué dices? Yo ya parece que le estoy viendo la cara. Un niño, es un niño, estoy segura. Lo siento, eso se siente, de la otra vez no me equivoqué.

—Olvida la otra vez —dijo—. Qué más da lo que sea.

Nos estábamos mirando. Tropezamos con algo entre los pies.

—Señorita, haga el favor, no nos pise la casita.

Unas niñas del barrio habían pintado en el suelo con tiza varias habitaciones de una casa, y en algunas tenían cacharros y flanes de tierra. Nosotros nos habíamos metido en su casa y estábamos parados allí. Levantaban a nosotros sus ojos enfadados. Una estaba en la cocina, agachada, machacando teja, y, cuando nos salimos, vino detrás, andando con mucho cuidado entre los tabiques estrechos para no pisar raya. Nos siguió hasta la puerta.

—Ris ras —hizo, cuando cerró. Y luego, a las otras—: Era el cartero. Dos cartas había. Tome.[65]

Seguimos en silencio, bordeando las terrazas de los bares.

—¿A ti te gusta más que sea una niña? —le pregunté a Lorenzo.

—Lo que sea, ya lo es —dijo él—, ya lo tienes ahí

---

(65) Esta delicada escena completa el desarrollo de la última parte del cuento. El pensamiento obsesivo de María es llevar a buen fin su maternidad, dar a luz a un hijo que dé a su existencia el sentido que no parece encontrar ella en la simple relación de pareja. La introducción de las niñas en el relato se presta a interpretaciones varias, cuyas claves puede proporcionarlas la reflexión sobre datos como el de que sean niñas, y no niños, quienes se tropiecen con los personajes, que jueguen precisamente a *las casitas,* que una de ellas prolongue su relación con María y Lorenzo hasta el momento en que ambos desaparecen...

dentro. Yo quiero lo que sea, lo que es. No significa nada
decir «quiero».

Pero yo continuaba, tercamente.

—Las niñas sufren más. Un niño, será un niño. Pablo,
Marcos, Alfonso...

—No te lances, mujer. No vuelvas a lanzarte en el vacío.

—Bueno. Pero si a ti te da igual, seguro que es un niño.

—Bueno, bueno. Lo que importa, mujer, es que se te
pasen estos nervios que tienes ahora, y que tengas un parto
bueno. Que mires por dónde vas. No pienses ahora en nada
de mañana. Ya vendrá. Vendrá todo lo que tenga que
venir. Te tienes que cuidar este verano.[66]

(**66**) Final ambiguo y abierto donde los haya. No es de esperar
que la comunicación entre los dos integrantes de la pareja sea
mayor en el futuro, pero sí es posible suponer que la soledad de
María será menor a partir del nacimiento de su hijo. Quizá el
pesimismo del cuento en lo tocante a la posibilidad (o, mejor,
imposibilidad) de comunicación profunda entre los seres humanos
se vea atenuado por la vivencia de una maternidad gozosamente
asumida.

MIGUEL DELIBES

El conejo

(1963)

Y cada vez que veía al herrador, Juan le decía:[67]
—¿Cuándo me das el conejo, Boni?[68]
Y Boni, el herrador, respondía preguntando:
—¿Sabrás cuidarle?
Y Juan, el niño, replicaba:

---

(67) El cuento está dominado por el reiterado uso de la conjunción copulativa *y*, ya sea enlazando oraciones o iniciando frases. En este segundo caso se logra un cierto efecto de oralidad en el discurso narrativo: el lector tiene la impresión de estar escuchando el relato (en el habla normal es frecuente el empleo de ese recurso como medio de ilación de las diferentes partes de la exposición verbal, que de otra manera podrían parecer excesivamente inconexas).

(68) En el ámbito rural es costumbre establecida la simplificación de los nombres propios en abreviaciones, o bien la sustitución de aquellos por algún apodo que aluda a un aspecto de la vida o el físico de la persona en cuestión. También resulta habitual la anteposición del artículo al nombre (en el cuento, la Eulalia, el Melchorín, la Puri).

—Claro.

Pero Adolfo, el más pequeño, terciaba, enfocándole su limpia mirada azul:

—¿Qué hace el conejo?

Juan enumeraba pacientemente:

—Pues... comer, dormir, jugar...

—¿Como yo? —indagaba Adolfo.

Y el herrador, sin cesar de golpear la herradura, añadía:

—Y cría, además.

Juan agarraba al pequeño de la mano:

—El conejo que nos dé Boni criará conejos pequeños y cuando tengamos muchos le daremos uno a Ficu.

—Sí —decía Adolfo.

Boni, el herrador, aunque miraba para los chicos, siempre acertaba en el clavo.

—¿Es cierto que quieres el conejo?

—Claro —respondió Juan.

—¿Y sabréis cuidarle?

—Sí —dijeron los dos niños a coro.

—Pues mañana a mediodía os aguardo en casa —añadió el herrador.

Y cuando los niños descendían cambera ¹ abajo, cogidos de la mano, les voceó:

—Y si le cuidáis bien os daré, además, un pichón.

Y Adolfo le dijo a Juan:

—¿Un pichón? ¿Qué es un pichón?

—Una paloma —contestó Juan.

—¿Y vuela? —dijo Adolfo.[69]

---

¹ *cambera:* camino de carros.

(69) Adolfo tiene la obsesión del vuelo. A lo largo del relato, todas las referencias a seres o cosas le van a sugerir una pregunta o reflexión sobre el tema. En su ingenuidad, probablemente el niño piensa que si tras la muerte el ser fallecido ha de dirigirse al Cielo, no podrá llegar a él si no sabe volar.

—Todas las palomas vuelan —dijo Juan.

Al entrar en la Plaza, vieron los grupos de gente y a Sebastián y Rubén con los cirios y una mujer que sollozaba. Y Evelio, el de la fonda, dijo:

—Le venía de atrás; si no le dijo nada al médico fue por no enseñarle los pechos.

Esteban, el del molino, se rascó el cogote:

—En una soltera se comprende.

Juan y Adolfo, cogidos de la mano, merodeaban entre los grupos sin que nadie reparara en ellos, hasta que llegó el cura y enhebró una retahíla ininteligible, y las mujeres se santiguaron, y los hombres se quitaron las boinas y las daban vueltas,[70] sin dejarlo, entre los dedos. Y Juan soltó a su hermano y se descubrió y empezó a girar su sombrero tal como veía hacer a los hombres. Y al ver sacar aquello de la casa, le dijo a Adolfo en un cuchicheo:

—Es un muerto.

—¿Dónde está el muerto? —voceó Adolfo.

Y los hombres dijeron:

—¡Chist, chaval!

Y Adolfo abrió aún más sus ojos azules y bajó la voz y le dijo a Juan:

—¿Dónde está el muerto, Juan?[71]

Y Juan respondió:

—Metido en esa caja.

Y Adolfo miró primero a la caja blanca, y luego a su

(70) El pronombre *las* no está correctamente utilizado en esta frase, puesto que no funciona en ella como complemento directo.

(71) El niño no está aún en condiciones de percatarse de la trascendencia de la muerte (tema constante, junto con la soledad, la Naturaleza, la infancia y Dios, en la obra de Delibes). Sin embargo, de una manera inconsciente, su inteligencia asocia la muerte con el hecho de volar. Es una identificación no expresamente manifiesta en el cuento, pero que parece lícito sugerir.

hermano, y luego a la caja blanca otra vez, y, finalmente, alargó su manita y cogió la de su hermano, y ambos arrancaron a andar tras el cortejo, mientras el cura continuaba murmurando frases ininteligibles. Y al cruzar frente al potro [2], Boni, el herrador, estaba quieto, parado, la boina entre los dedos, mirando pasar la comitiva. Y al ver en último lugar a Juan, le guiñó un ojo y le dijo:

—¿Dónde vais vosotros?

—Al entierro —dijo Juan—. Es un muerto.

—¿Y el conejo?

—Mañana —dijo el niño.

El herrador volvió a calarse la boina, enjaretó [3] el acial [4], tomó el martillo y le dijo a Juan por entre las patas del macho, indicando con un movimiento de cabeza la curva por donde desaparecía el cortejo:

—A ver si le cuidas bien, no le vaya a ocurrir lo que a la Eulalia.

Adolfo levantó su mirada azul:

—¿Sabía volar la Eulalia? —preguntó.

—¡Chist! —respondió Juan, uniéndose al grupo.

La caja yacía en la primera posa [5] y el cura rezongaba [6] frases extrañas en un tono de voz muy grave, y los hombres iban, se adelantaban de uno en uno y echaban dinero en la bandeja que sostenía el Melchorín; cada vez más dinero; y las monedas tintineaban sobre el metal, y a Adolfo se le abultaban los ojos y decía:

—Juan, ¿por qué le dan perras a Melchorín?[(72)]

---

[2] *potro:* aparato de madera en que son sujetados los caballos cuando se resisten a ser herrados.   [3] *enjaretó:* encajó.   [4] *acial:* instrumento con que se oprimen el hocico o las orejas del animal para que se esté quieto.   [5] *posa:* parada que en un entierro hace el clero, para cantar el responso.   [6] *rezongaba:* murmuraba.

(72) Como cualquier niño, Adolfo se siente impulsado a formu-

Y Juan le aclaraba:

—Para no morirse como la señora Eulalia.

Y así durante tres posas, hasta que llegaron a lo alto, al alcor[7], donde se erguían los cipreses del pequeño camposanto[8]. Secun andaba allí, junto al hoyo, con la pala en la mano, y Zósimo, el alguacil, sostenía sobre el hombro un azadón. Entre la tierra removida blanqueaban los huesos mondos, y Adolfo apretó la mano de Juan y preguntó:

—¿Eso qué es?

—¡Chist! —le respondió Juan—. Una calavera, pero no te asustes.

—¿Vuela? —inquirió Adolfo.

Pero Juan no respondió. Miraba atentamente cómo bajaban la caja al hoyo con las cuerdas, y luego cómo Secun y Zósimo arrastraban la tierra negra y los huesos blancos sobre ella, y luego cómo Melchorín pasaba la bandeja, y luego, finalmente, nada.

Y a la hora de comer Juan le dijo a su padre:

—Papá.

Pero su padre no le oyó. Escuchaba las conversaciones de sus hermanos mayores y miraba con evidente simpatía a Adolfo, a quien su madre regañaba porque se había manchado. Así es que Juan repitió «papá» hasta cuatro veces y, a la cuarta, su padre se volvió a él:

—Papá, papá, no se te cae esa palabra de la boca. ¿Qué es lo que quieres?

Juan dijo tímidamente:

—Boni, el herrador, me va a regalar un conejo.

---

[7] *alcor:* colina.   [8] *camposanto:* cementerio.

---

lar continuas preguntas, intentando aprehender la realidad que lo rodea. Preguntas (como en este caso) no siempre respondidas de la manera más correcta.

—¿Ah, sí? —dijo distraídamente el padre.

—Es para Adolfo y para mí —agregó Juan.

—¿Para Adolfo también? —rió el padre—. ¿Y para qué quieres tú un conejo, si puede saberse?

—Para que vuele —dijo Adolfo.

Intervino Juan:

—Para que críe; son las palomas las que vuelan. Boni dice...

—Calla tú; déjale al niño —añadió el padre.

—Los conejos tienen alas —dijo Adolfo.

Y su padre rió. Y su madre rió. Y rieron, asimismo, los hermanos mayores.

Y a la mañana siguiente se presentó Juan con el gazapo [9], blanco y marrón, en un capacho y dijo:

—Mamá, ¿tienes un cajón?

Mas la madre se soleaba [10], adormilada en la hamaca, y no respondió. Juan insistió, penduleando [11] el capacho, hasta que al fin la madre entreabrió los ojos y murmuró:

—Este niño, siempre inoportuno. En la cueva habrá un cajón, creo yo.

Y Juan bajó a la cueva y subió un cajón, y Luis se encaprichó con el conejo y sacó a su vez la caja de herramientas y le puso al cajón un costado de tela metálica y le abrió un portillo para meter y sacar al animal, y Juan, al ver a su hermano afanar [12] con tanto entusiasmo, le decía:

—Aquí criará a gusto, ¿verdad, Luis?

Mas Luis, enfrascado en su tarea, ni siquiera le oía:

—Es bonito el conejo que me ha dado el Boni, ¿verdad, Luis?

Luis decía, al cabo, rutinariamente:

—Es bonito.

Adolfo se aproximó a Juan.

---

[9] *gazapo:* conejo recién nacido. [10] *se soleaba:* tomaba el sol. [11] *penduleando:* haciendo oscilar. [12] *afanar:* trabajar con ardor.

—¿Es la casa del conejo? —preguntó.

—Sí, es la casa del conejo, ¿te gusta? —dijo Juan.

—Sí —dijo Adolfo.

Y tan pronto Luis concluyó su obra, Juan agarró al gazapo cuidadosamente, abrió el portillo y lo metió dentro. El niño miraba al bicho fruncir el hociquito, cambiar de posición, aguzar las orejas, y decía:

—Está contento en esta casa, ¿verdad, Luis?

—Sí, está contento —decía Luis.

—¿Y va a volar? —preguntó Adolfo.

Juan inclinó la cabeza a nivel de la de su hermano y le dijo:

—Los conejos no vuelan, Ado. Las que vuelan son las palomas. Y si cuidamos bien al conejo, el Boni nos dará una.

—Sí —dijo Adolfo.

Juan corrió hacia Luis, que se encaminaba a la casa con la caja de herramientas en la mano:

—Luis —le dijo—, ¿me harás otra casa si el Boni me da una paloma?

—¿Otro bicho? —rezongó Luis.

Juan le miraba sonriente, un poco abrumado. Dijo:

—Boni me dará un pichón si crío bien el conejo.

—Bueno, ya veré —dijo Luis.

Y Juan volvió donde el conejo, a mirar cómo fruncía el hociquito rosado y cómo le palpitaba el corazón en los costados. Después cogió a Adolfo de la mano y se llegó donde su padre.

—Papá —dijo—, ¿qué comen los conejos?

El padre se volvió a él, sorprendido.

—¡Qué sé yo! —dijo—. Verde, supongo.

—Sí —dijo Juan atemorizado, y corrió donde su madre y la dijo:

—Mamá, ¿qué es verde?

—Jesús, qué niño tan pesado —dijo la madre—. Verde, pero, ¿verde de qué?

—Papá dice que los conejos comen verde y yo no sé lo que es verde.

—¡Ah, verde! —respondió la madre—. Pues yerba digo yo que será.

A la tarde, el niño bajó donde el herrador.

—Boni —le dijo—, ¿qué comen tus conejos?

Boni, el herrador, se incorporó pesadamente, oprimiéndose los riñones con las manos y sin llegar a enderezarse del todo.

—Bueno, bueno —dijo—, los conejos tienen buen apetito. Cualquier cosa. Para empezar puedes darle berza y unos lecherines [13]. Y si se porta bien dale una zanahoria de postre.

Juan tomó a Adolfo de la mano. Adolfo dijo:

—A mí no me gusta eso.

—¿Cuál? —inquirió Juan.

—Eso —dijo Adolfo.

Cada mañana, Juan llevaba al conejo su ración de berza y de lecherines. Algún día le echaba también una zanahoria, pero el conejo apenas roía una esquina y la dejaba.

—No le gusta eso —decía Adolfo. Y Juan le explicaba pacientemente que el conejo tenía la tripa llena de berza y de lecherines y no le quedaba hueco para la zanahoria. Adolfo denegaba obstinadamente con la cabeza:

—No le gusta eso —decía.

En un principio el conejo mostraba alguna desconfianza, pero tan pronto advirtió que los pequeños se aproximaban para llevarle alimentos se ponía de manos [14] para recibir las hojas de berza y aun las comía delante de ellos. Ya no le temblaban los costados si los niños le cogían, y le gustaba agazaparse al sol, en un rincón, cuando Juan le sacaba de la cueva para airearse. En todo caso, Juan alejaba al conejo de

---

[13] *lecherines:* plantas euforbiáceas cuyos tallos contienen un líquido de color lechoso.   [14] *se ponía de manos:* levantaba el cuerpo apoyándose en las patas de atrás.

la casa porque su madre dijo el primer día que «aquel bicho olía que apestaba».

Al concluir el verano comenzó a llover. Llovía lenta, incansablemente, y Juan burlaba cada día la vigilancia para salir a por lecherines.[73] Cada vez regresaba con una brazada[15] de ellos, y el conejo le aguardaba de manos, impaciente. Juan le decía:

—Tienes hambre, ¿eh?

Y, en tanto comía, añadía:

—Adolfo no viene porque no le dejan, ¿sabes? Está lloviendo. Cuando deje de llover te sacaré al sol.

Y, al cuarto día, cesó, repentinamente, de llover. Juan vio el cielo azul desde la cama, y sin calzarse corrió a la cueva; mas el conejo no le recibió de manos, ni siquiera aculado[16] en un rincón, como acostumbraba a hacer los primeros días, sino tumbado de costado y respirando anhelosamente. El niño introdujo la mano por la tela metálica y le acarició, pero el animalito no abría los ojos.

—¿Es que estás malo? —preguntó Juan.

Y como el conejo no reaccionaba, abrió precipitadamente el portillo y lo sacó fuera. El animal continuaba relajado, sin vida: apenas un leve hociqueo y una precipitada, arrítmica respiración. Juan lo depositó en el suelo y corrió alocadamente hacia la casa:

—¡Mamá, mamá! —voceó—. El conejo está muy malito.

Su madre le miró irritada:

—Déjate de conejos ahora y cálzate —dijo.

Juan se puso las sandalias y buscó a Adolfo:

—Adolfo —le dijo—, el conejo se está muriendo.

---

[15] *brazada:* cantidad de hierba, leña, etc., que se puede llevar de una vez con los brazos. [16] *aculado:* sentado con las patas encogidas.

(73) La suma de las dos preposiciones en la forma *a por* es rechazada por el uso purista, pero su implantación se halla generalizada en el habla.

—A ver —dijo Adolfo.

—Ven —dijo Juan, tomándole de la mano.

El conejo, tendido de costado sobre la yerba, era como un manojito de algodón, apenas animado por un imperceptible estremecimiento:

—¿Tiene sueño? —preguntó Adolfo.

—No —respondió Juan gravemente.

—¿Por qué no abre los ojos? —demandó Adolfo.

—Porque se va a morir —dijo Juan.

Y, repentinamente, soltó la mano de su hermano y corrió donde el herrador:

—Boni —le dijo—, el conejo está muy malo.

Boni, el herrador, se llevó las manos a los riñones antes de incorporarse:

—No será para tanto, digo yo.

—Sí —dijo Juan—. No quiere andar ni tampoco abrir los ojos.

—¡Vaya por Dios! —dijo el Boni—. Pues sí que le has cuidado bien.

El niño no contestó. Tomó la mano encallecida del hombre y le encareció tirando de él:

—Vamos, Boni.

—Vamos, vamos —protestó el herrador—. ¿Y qué va a decir la mamá? Sabes de sobra que a la mamá no le gusta que los del pueblo metamos las narices allí.[74]

Pero siguió al niño cambera abajo; y al llegar a la puerta, advirtió:

—Tráeme el conejo, anda. Yo no paso.

---

(74) En modo alguno puede calificarse de social la narrativa de Delibes, pero ello no implica la marginación de problemas existentes en la realidad: la degradación de la Naturaleza, la invasión del campo por la mentalidad urbana (*El disputado voto del señor Cayo*), el anacrónico feudalismo en la relación del señor con el trabajador rural (*Los santos inocentes*). La reticencia de Boni, discretamente introducida por el narrador, apunta en ese sentido.

Y cuando el niño regresó con el conejo, Adolfo corría torpemente tras él, y al ver al herrador, le dijo:

—¿Es que va a volar, Boni?

El herrador examinaba atentamente al animal:

—Volar, volar..., sí que está el animalito como para volar —volvió los ojos a Juan—. ¿Le mudas la cama?

—¿Qué cama? —preguntó el niño.

El herrador se fingió irritado:

—¿Es que quieres que el conejo esté tan despabilado como tú si ni siquiera le haces la cama?

—Yo no lo sabía —dijo Juan humildemente.

Aún insistió el herrador:

—Y le habrás dado la comida húmeda, claro.

Juan asintió:

—Como llovía...

—Llovía, llovía —prosiguió el herrador—. ¿Y no tienes una cocina para secarlo? Mira, para que lo sepas, los lecherines mojados son para el animalito lo mismo que veneno.

—¿Veneno? —murmuró Juan aterrado.

—Sí, veneno, eso. Les fermenta en la barriga y se hinchan hasta que se mueren, ya lo sabes.

Se incorporó el herrador. Juan le miraba vacilante. Dijo al fin:

—¿Se podrá curar?

—Curar, curar —dijo el herrador—. Claro que se puede curar, pero no es fácil. Lo más fácil es que se muera.

Juan le atajó:

—Yo no quiero que se muera el conejo, Boni.

—¿Y quién lo quiere, hijo? Estas cosas están escritas —replicó el Boni.

—¿Escritas?; ¿quién las escribe, Boni? —preguntó el chico, anhelante.[75]

---

(75) Inconscientemente, el niño se plantea un problema exis-

El herrador se impacientó:

—¡Vaya pregunta! —dijo secamente.

Adolfo miraba de cerca, casi olfateándolo, al conejo. Al cabo, aún encuclillado, alzó su mirada azul, muy pálida, casi transparente:

—Tiene sueño —dijo.

—Sí —dijo el herrador—. Mucho sueño. Lo malo es si no despierta.

Se agachó bruscamente y le puso a Juan una manaza en el antebrazo:

—Mira, hijo, lo primero que le vas a poner a este bicho es una cama seca.

A Juan se le frunció la frente:

—¿Una cama seca? —indagó.

—Una brazada de paja, vaya.

—Tiene sueño —dijo Adolfo—. El conejo tiene sueño.

—¡Calla tú la boca! —cortó el herrador—. Luego, no le des de comer en todo el día, y mañana, si le ves más listo, le das... O, mejor, ya vendré yo. Si mañana le vieras más listo, me mandas razón con la Puri o te acercas tú mismo.

Y cuando el Boni salió a la carretera, Juan cogió al conejo con cuidado, le acostó sobre su antebrazo y franqueó la puerta del jardín. Le dijo a Adolfo, conforme avanzaban por el paseo bordeado de lilas de otoño:

—El conejo se va a poner bueno. El Boni lo ha dicho.

Adolfo le miró:

—¿Y volará? —dijo.

—No —prosiguió Juan—, los conejos no vuelan.

Luego metió la paja en el cajón y depositó al conejo

---

tencial profundo. Ante el determinismo fatalista (tan enraizado en la mentalidad campesina) que muestra el herrador (todo está escrito, y lo que haya de suceder, sucederá), Adolfo se atreve a preguntar, con candorosa ingenuidad, quién (o Quién) decide en la vida del hombre (en último término, si este es enteramente libre).

encima, pero Luis le miraba hacer, y cuando Juan cerró el portillo, dijo:

—Ese conejo las está diñando [17].

—No —protestó Juan—. El Boni dijo que se pondrá bueno.

—Ya —dijo Luis—. Este no lo cuenta.

En ese momento el conejo se agitó en unas convulsiones extrañas:

—Mira, ¡ya corre! —voceó Adolfo.

—Está mejor —dijo Juan—. Antes no se movía.

—Ya —dijo Luis—. Está en las últimas. Además me da grima [18] ver sufrir a los animales. Le voy a matar.

Abrió el portillo, y Juan se agarraba a su cuello y gritaba:

—¡No, no, no...!

Se asomó la madre:

—¡Marcharos de aquí con ese conejo![76]

—Se está muriendo —dijo Luis—. El animal sólo hace que sufrir.

—Matadle —dijo, piadosamente, la madre.

Luis le sujetó por las patas traseras, la cabeza abajo.

—No —dijo todavía, débilmente, Juan—. Boni dice que se curará.

—Sí, mátale —dijo Adolfo con una prematura dureza en sus ojos azules.[77]

---

[17] *las está diñando:* se está muriendo. [18] *grima:* desazón, disgusto.

(76) La -r- en los imperativos (*marcharos* por *marchaos*) es rasgo propio del habla popular. No deja de ser curioso, sin embargo, que el mismo personaje que forma incorrectamente ese imperativo, construya con corrección los siguientes («matadle», «enterradle»).

(77) A partir de este momento, los niños van a manifestarse, de palabra y de obra, con una ambigua mezcla de prematura madurez y de infancia aún no superada, mezcla esta que revela la imitación, todavía no suficientemente consciente, de las actitudes

Y Luis, sin más vacilaciones, le golpeó por tres veces con el canto de la mano detrás de las orejas. El conejo se estremeció levemente y, por último, se le dobló la cabeza hacia dentro. Luis le arrojó en la yerba:

—Listo —dijo frotándose una mano con otra, como si se limpiara.

Juan y Adolfo se aproximaron al animal:

—Tiene sueño —dijo Adolfo.

—Sí... está muerto —dijo Juan agachándose y acariciándole suavemente.

Sus ojos estaban húmedos, y continuaba atusándole [19], cuando su madre le chilló:

—¡Llevadle lejos, que no dé olor! ¡Enterradle!

Juan se incorporó súbitamente:

—Eso, Adolfo —dijo—, vamos a enterrarle.

Le había brotado, de pronto, una alegría inmoderada.

—Sí —dijo Adolfo.

—Eso —insistió Juan—. Vamos a hacer el entierro.

Entró en la cueva y salió con la azada al hombro, y luego le entregó a Adolfo una tapa de cartón y le dijo:

—Ahí se echan las perras, ¿sabes?

—Las perras, eso —dijo Adolfo jubilosamente.

Y Juan suspendió el conejo recelosamente de las patas traseras y caminaba por el paseo de lilas, el bicho en una mano, la azada al hombro, salmodiando [20] una letanía ininteligible. Y Adolfo le seguía a corta distancia con el cartón a guisa de bandeja, y súbitamente voceó:

—Se hace pis. El conejo se está haciendo pis.

---

[19] *atusándole:* alisándole el pelo.   [20] *salmodiando:* cantando monótonamente.

~~~~~~

de los mayores. La muerte del conejo no provoca el llanto, sino que se convierte en ocasión propicia para practicar un juego hasta entonces desconocido para ellos: el de la vida y la muerte.

Juan se detuvo, levantó el conejo y vio el chorrito turbio que mancillaba la piel blanca del animal y escurría, finalmente, hasta las losetas [21] del paseo. Miró de nuevo incrédulamente, y al cabo chilló, volviendo la cabeza hacia la casa:

—¡Papá, mamá, Puri, Luis, el conejo se ha meado cuando ya estaba muerto!

Pero nadie le respondió.

---

[21] *losetas:* ladrillos finos, baldosas.

FRANCISCO GARCÍA PAVÓN

El mundo transparente

(1967)

Desde mucho tiempo atrás se sabía que con unos receptores especiales se podía escuchar lo que se hablaba en una casa próxima, sin utilizar transmisor alguno. El sistema siempre fue reservadísimo y parece que solo lo utilizaba el servicio de contraespionaje y, en ciertos casos muy particulares, la policía.

Luego llegó la noticia, también muy oculta, de que se podía conseguir ver lo que ocurría en un lugar próximo por una pantalla de T.V. Este nuevo procedimiento también quedó cuidadosamente velado y se utilizaba de manera muy reservada.

Pero últimamente —y aquí comienza de verdad nuestra historia— un aficionado a las cosas de radio y televisión, aunque oficialmente no era ingeniero ni cosa parecida, redescubrió, parece ser que sin proponérselo del todo, que con un simple receptor de televisión aplicándole no sé qué otro aparato de facilísima adquisición, consiguió ver y oír a través de las paredes a una distancia bastante considerable.[78]

(78) El cronista (como tal se nos presenta el autor) va a eludir

El inventor publicó su descubrimiento a los cuatro vientos, y como la oferta era tan golosa [1], antes de que las autoridades reaccionasen, la ciudad se llenó de aquellos combinados receptores que prometían tanto solaz para las gentes aburridas y curiosas. Al cabo de poco más de un año, en todos los hogares medianamente acomodados podía verse lo que ocurría en diez kilómetros a la redonda, sin más que poner en marcha el vulgar televisor y ayudarse con un selector de imágenes fácilmente fabricable.

Este es el prólogo de la situación que se planteó en seguida y que contribuyó tanto al universal desastre que todos conocemos. [79]

La mentalidad de la gente cambió en pocos meses de manera inconcebible. Jamás se ha producido una metamorfosis, a lo largo de la historia, de la psicología colectiva, tan radical y dramática. De pronto, todo el mundo se sintió espiado y observado minuto a minuto de su vida; y a la vez, con un deseo obsesivo de espiar, de observar la vida del prójimo. La cosa llegó a tal extremo que era muy frecuente que los buscadores del secreto del prójimo, al intentar localizar a ese prójimo, lo hallaran junto a su receptor, mirando al mismo que los buscaba.

---

[1] *golosa:* apetitosa.

~~~~~~

cuidadosamente, a lo largo del cuento, los detalles técnicos, tanto por no resultar pertinente su relación (o su invención) como por hacer más nítida la lectura ejemplarizante. Obviando elementos accesorios se accede más fácilmente al objeto de esta especie de parábola.

[79] Antes («aquí comienza de verdad nuestra historia») la voz narrativa había asumido un papel de cronista. Ahora conocemos la existencia de un colectivo de oyentes que, como el propio relator, conocen lo sucedido, pero no las causas. Hay otro *oyente*, el lector, que no conoce todavía ni los hechos ni los motivos que los originaron.

Pero los hombres más sensibles primero, y luego absolutamente todos, entraron en una situación de angustia inenarrable [2], una vez pasada la novedad del juego. Aquellos relajos [3] naturales del ser humano cuando se siente solo, desaparecieron. Y la gente empezó a comportarse en todo momento de una manera artificial, como si la puerta de su cuarto siempre estuviera entreabierta.

Verdad es que las primeras reacciones colectivas ante el fenómeno del ojo universal fueron realmente graciosas y me atrevería a calificar de benefactoras para los usos y costumbres sociales.

Por ejemplo, las señoras, a la hora de almorzar, procuraban que la mesa estuviese puesta con mucha distinción, siempre con manteles limpios y la vajilla nueva. Todos se sentaban a la mesa bien vestidos y se hablaban entre sí con mesura y sonrientes. Las comidas, por el temor al qué dirán, eran realmente buenas y bien servidas. Los presupuestos familiares se resentían por la necesidad de esta forzada política [4] y circunspección [5]. La señora de la casa trabajaba a todas horas con una pulcritud [6] y orden admirables. Las chicas de servicio a toda hora aparecían uniformadas, los niños en correcto estado de revista y todos los objetos de la casa despedían luz de puro limpios. Y no digamos la competencia de mejorar los menús. Era realmente ejemplar. «Debíamos tomar suflé [7] de postre como los señores del 158... Y coñac francés con el café, no vaya a pensar esa boba que nos estará mirando que no ganamos lo suficiente para permitirnos estas finuras.»

Naturalmente que todas estas reflexiones se las hacían los matrimonios en momentos estratégicos, ya que al igual

---

[2] *inenarrable:* que no se puede explicar con palabras.   [3] *relajos:* relajaciones, y también distracciones propias de un momento de distensión.   [4] *política:* modo de comportamiento.   [5] *circunspección:* seriedad, y también decoro.   [6] *pulcritud:* esmero en la ejecución de un trabajo.   [7] *suflé:* pastel hueco hecho de masa ligera.

que se les veía hacer todo, se les escuchaba el más leve comentario. En última instancia se podía evitar el ser vistos. Bastaba apagar la luz o cerrar las ventanas; pero el ser oídos, jamás. Si la pieza estaba a oscuras, la pantalla del televisor-receptor quedaba a oscuras, pero la conversación se oía perfectamente. A los cuartos de aseo y dormitorios, a la hora de utilizarlos se entraba a oscuras o a lo más alumbrándose con unas linternas minúsculas que se apagaban en seguida que era posible.

A ciertas horas, si se hacía pasar el receptor por hogares ajenos, solo se veían habitaciones en tinieblas, solo pinchadas por los puntitos de luz de las linternas. O bien aparecía la señora de la casa magníficamente vestida, sentada en un sillón, leyendo un libro muy exquisito que no entendía...

Fue un buen tiempo para las mujeres de la vida que estaban bien hechas. Sin escandalizar a nadie se exhibían por sus habitaciones despertando el apetito de los concupiscentes [8].

Los matrimonios tuvieron que abandonar el hábito de discutir y de hablar de dinero. Estos parlamentos [9] vidriosos [10] o denunciativos solían hacerlos cuando iban de viaje, pues el recibir imágenes y sonidos de vehículos en marcha resultaba todavía muy difícil.

Había familias que adoptaron para su comunicación la costumbre de pasarse notitas escritas con letra muy menuda, que leían pegándoselas mucho a los ojos o amparándose con la mesa y utilizando la minúscula linterna.

Los hombres cuidaban sus lecturas, se ocultaban para beber y para llorar. Las señoras ponían especial empeño en la decoración de sus casas y la marca de sus perfumes y vestidos. Pues conviene aclarar que los comerciantes, me-

---

[8] *concupiscentes:* dominados por el deseo de placeres, sexuales en este caso. [9] *parlamentos:* razonamientos. [10] *vidriosos:* que deben tratarse con mucha precaución.

diante este indiscreto modo de observación, se enteraban de
las cosas que uno utilizaba y a cada nada llamaban a tu
puerta para aconsejarte que te cambiaras a su marca, que
era mucho mejor.

Todas las cosas íntimas había que camuflarlas como
verdaderas vergüenzas y los humanos, en poco tiempo, se
transformaron en seres de sonrisa estereotipada [11], modales
correctísimos y palabras medidas, como si estuvieran de
visita.

Estas contenciones [12] sostenidas dieron lugar a unas
descargas nerviosas, que pronto fueron de graves consecuencias, como habrá ocasión de ver.

El trabajo en oficinas y fábricas se convirtió en un
verdadero martirio, a la vez que enormemente productivo,
porque todo el mundo, al saberse observado y oído, trabajaba con una meticulosidad especial y en absoluto silencio.

Cambió hasta la naturaleza de los niños, a quienes se les
inculcó la presencia de aquel ojo universal, y siempre
andaban envarados [13], bien vestiditos, tristes y sin decir en
voz alta su necesidad de hacer las cosas propias del cuerpo.

Todas las medidas que quisieron tomarse para evitar
aquellas inquietudes resultaron inútiles. La curiosidad humana es tan feroz que nadie quería renunciar a su ventana,
máxime sabiendo que a su vez era observado.[80] Entre otras

---

[11] *estereotipada:* repetida sin variación.   [12] *contenciones:* represiones.
[13] *envarados:* estirados de una manera forzada.

(**80**) El cuento va decantándose hacia la lectura pesimista.
Todos los elementos de la vida están siendo afectados por la
situación creada: los sociales, los individuales, los políticos... Todos
los seres humanos se ven perjudicados por el sistema que ellos
mismos han creado, pero ninguno puede sustraerse al vicio de
aprovecharse de él; todos son reos, pero también son culpables
todos.

costumbres salutíferas[14] desapareció la mentira casi por completo. Nadie podía decir que no estaba en casa cuando estaba o que había estado en tal o cual sitio si no era verdad. El que los reservados de los cabarets estuvieran en absoluta tiniebla, así como los *meblés*[15], era inútil. El hombre perdió en absoluto toda su autonomía y capacidad de iniciativa.

Los inteligentes creían que tan lamentable estado de cosas tendría pronto remedio, porque la gente se acostumbraría a la constante observación, llegaría el relajo y cada cual volvería a hacer lo que le venía en gana, pasara lo que pasara. Al igual que feos y guapos salen todos los días a la calle con su cara sin importarles demasiado, a todos acabaría por no preocuparnos que conociesen nuestra intimidad.[81] Pero se equivocaron totalmente. Habrían hecho falta varias generaciones para conseguir ese resultado. La naturaleza humana estaba tan acostumbrada a ciertos márgenes de autonomía e intimidad, que no fue capaz de llegar a la curva descendente del proceso, es decir, al relajo. Y explotaron los nervios colectivos en muy pocos meses.

Resulta ocioso decir que los ladrones y criminales profesionales desaparecieron casi totalmente. Las cárceles se transformaron en sitios confortables y humanos donde no se maltrataba a los reclusos. Los internados, reformatorios, campos de trabajo y el mismo ejército, eran ejemplos de civilidad, corrección y buenas costumbres. En este aspecto colectivo sí que ganó la sociedad, pero vulnerar la vida

---

[14] *salutíferas:* saludables.   [15] *meblés:* casas de citas.

(81) Por primera vez abandona el cronista su posición de imparcial relator de los hechos, para reconocer su implicación en los mismos mediante la primera persona del plural: también él se vio afectado por la invención del aparato (probablemente en su doble condición de reo y víctima).

individual ocasionó un trauma colectivo muy por encima de estos bienes públicos.[82]

En seguida hubo personas, las más sensibles, que, incapaces de vivir en aquel estado de constante tensión, perdieron el seso total o parcialmente. Los más resistentes solo sufrían ataques pasajeros de histerismo, que se resolvían amenazando al vacío, es decir, a la vecindad que les veía. Proferían contra «ellos» insultos y hacían obscenidades y exhibicionismos que pretendían insultar y escandalizar. En otros la obsesión era tan grande y continuada, que acababan recluidos en casas de salud[16].

La gente le echaba la culpa al Estado por permitir aquel escándalo, pero ni el Estado tenía la culpa, ni sabía muy bien qué había que hacer ante fenómeno tan insólito. Pues no eran los menos afectados los señores del Gobierno, cuya vida privada y pública quedaba tan a la intemperie como la del Juan[17] particular.

Por cierto, que como es natural, la vida política y administrativa del mundo mejoró enormemente con aquella transparencia. Los gobernantes y administradores, como si el mismo Dios estuviera siempre presente, se comportaban con una corrección y honradez nunca vistas. Se impuso la sinceridad, la verdad objetiva hasta límites insospechados.[83]

---

[16] *casas de salud:* manicomios.   [17] *Juan:* nombre que simboliza al individuo común, con los atributos más corrientes.

~~~~~~

(**82**) El supuesto bienestar social termina siendo lesivo para los derechos individuales, mucho más importantes en todo caso (a esa lección se orienta el cuento) que los que pueda tener ese impreciso colectivo masificador donde el ser humano pierde lo que le es más consustancial: su propio yo.

(**83**) Ejemplo, no único en el texto, de concordancia del verbo con uno solo de los sujetos, bien por proximidad, bien por sentir el hablante los términos enunciados («sinceridad» y «verdad objetiva») como homogéneos.

El cohecho [18], el abuso, el latrocinio [19], la irresponsabilidad y arbitrismo [20] que tanto suele atacar a los que se dedican a la cosa pública [21], se contuvo del todo, hasta el extremo de que muchos políticos y administradores abandonaron su puesto, ya que con el sueldo a secas y sin las prebendas de costumbre, no les tenía cuenta el cargo.

Todo el mundo se hizo honrado «a la fuerza», comedido [22], prudente y veraz por la presión exterior. La conciencia se había desarrollado, aunque por medios mecánicos, de manera casi evangélica [23]...

Pero hablando de evangelios, la confesión se hizo casi imposible. Todo el mundo andaba al acecho de las confesiones de determinadas señoras y peces gordos, y nadie se acercaba a un confesionario como no fuese a lucirse y a echar mentiras. Se estudiaron varias medidas, tales como dejar totalmente a oscuras los templos para que no fuese localizado el penitente. Pero resultaba inútil, todos temían que se les viese entrar al templo y se les reconociera por la voz. Igualmente acabó el adulterio, los robos y los crímenes. Al tiempo que la vida individual se deshacía dramáticamente, la colectiva ganaba en pureza y perfección. Pero, ya lo dije, las ventajas no compensaban la ruina de la intimidad, del fondo malo o bueno, insobornable, de cada uno. Quedaba demostrado una vez más que la perfección pública ha de conseguirse respetando la libertad individual. De lo contrario, se cae en una especie de totalitarismo [24], que pretende arreglar la sociedad en determinada dirección a base de mutilarla y coaccionar la individualidad. Y naturalmente,

---

[18] *cohecho:* soborno.   [19] *latrocinio:* hurto.   [20] *arbitrismo:* arbitrariedad, acto contrario a las leyes o la razón.   [21] *cosa pública:* administración política.   [22] *comedido:* cortés, y también moderado.   [23] *de manera casi evangélica:* sin intervención de las facultades racionales; es decir, basándose en la fe, al modo en que se admiten las verdades religiosas.   [24] *totalitarismo:* régimen político que concentra todos los poderes en un grupo único, ejerciendo una fuerte intervención en todos los órdenes de la vida nacional.

siempre fracasan y acaban en catástrofe, porque la intimidad solo resiste presiones hasta un cierto límite y en
ocasiones muy especiales.[84] La salud del alma individual
todavía es lo suficientemente robusta para que el mundo
siga andando.

Hubo por fin un cierto respiro con el descubrimiento de
una especie de amianto [25] plástico que impedía la emisión
casi total de las ondas sonoras y luminosas. Ni que decir que
inmediatamente todo el mundo se precipitó a revestir de
aquella sustancia su piso o al menos algunas habitaciones,
donde poder descansar de aquel ojo universal que nunca
paraba. Para las gentes modestas que no podían adquirir
aquel costosísimo material, se inventó una especie de protec-
ciones en forma de «monos», mandilones [26], hábitos a veces
o pequeños biombos que preservaban en buena parte de la
vista general, al menos para ciertas operaciones.

El remedio fue muy eficaz durante poco más de un año.
Puede decirse que durante este tiempo la gente llegó a vivir
normalmente, a respirar y recuperarse de su desesperación.

Pero en seguida ocurrió lo inevitable: un astuto ingeniero suizo que se aburría mucho y quería seguir en el
espectáculo, inventó un pequeño modificador de los receptores, que les permitía captar sonido e imagen con absoluta
nitidez a través del famoso amianto tranquilizante. De
nuevo todas las casas, hasta sus más ínfimos rincones,
estuvieron al alcance de la vista y el oído públicos.

La noticia fue acogida con pavor por todos, pero una vez

---

[25] *amianto:* mineral especialmente indicado para la fabricación de tejidos
incombustibles.   [26] *mandilones:* prendas de cuero o tela fuerte que, colgadas
del cuello, cubren el cuerpo hasta más abajo de las rodillas.

(**84**) Al contrario de lo que suele ser habitual, aquí la lección se
ha intercalado en mitad del cuento, y no se ha situado al final del
mismo.

más triunfó la curiosidad, la terrible idea de que ya que todos lo tenían ¿por qué no lo tenían ellos?, ¿qué evitaban con eso? Especialmente en las mujeres dominó esta idea.[85] Y como aquel filtro también era muy asequible, en poco tiempo volvió a quedar como estaba el año anterior.

Luego de la experiencia primera, en esta segunda etapa todas las cosas fueron mucho más de prisa. La depresión y el histerismo se generalizaron de manera obsesiva. Y de un momento a otro se preveía que las autoridades internacionales, el gran Gobierno Federal Europeo, en contacto con los Gobiernos Federales de las cinco partes del mundo, tomaría medidas decisivas para desmontar aquella perniciosa ofensa al ser humano.

Todavía hubo un paso más agravante: se inventó la manera de que los receptores captasen imágenes, si no del todo claras, esa es la verdad, en la misma oscuridad. Aquello fue el colmo de la angustia. Todos los días se producían miles de ataques de locura, de suicidios, de homicidios... Y aceleró el proceso, ya de por sí bastante descompuesto, como suele ocurrir, un accidente en apariencia pequeño.[86]

Sofie, una bella actriz, creo que de origen sueco, padeció durante breves días una aparatosa indisposición intesti-

---

(85) El cuento tradicional ha explotado abundantemente (en determinadas épocas sobre todo) ciertas ideas tópicas sobre la mujer: a Pandora, la primera sobre la tierra según la teogonía griega, se atribuye la extensión de todos los males, contenidos en una caja que Zeus le había confiado y que ella, por curiosidad, abrió.

(86) Los peligros de un progreso técnico deshumanizador parecen ser uno de los objetivos de la sátira. Un invento que al principio se creyó inofensivo es, a la postre, el causante de una tragedia colectiva, más grave a medida que se perfecciona aquel e incorpora nuevos elementos perturbadores de la libertad individual.

nal.[87] Arrastrada por la urgencia, se olvidó de tomar las mínimas medidas para no ser vista en sus penosos y repetidos trances; y la noticia poco airosa de su mal llegó a conocimiento público. A mucha más gente que a sus médicos de cabecera, que eran varios y buenos.

Los televidentes estaban acostumbrados a presenciar accidentes de este tipo y la cosa no habría tenido mayor importancia de haberse tratado de una persona normal, pero Sofie tenía demasiados admiradores y demasiados detractores.[88] Era guapa, demasiado perfecta, demasiado orgullosa de sus atributos perecederos. Tenía suficientes enemigas y envidiosas, que inmediatamente pusieron el suceso en circulación a través de chistes e indirectas alusivas a su pasajero mal. Incluso llegaron a sacarle fotos en aquellos trajines de urgencia y a publicarse jocosidades [27] en periódicos y revistas de cine. La cosa en sí maldita la gracia que tenía, y hubiera acabado en nada si Sofie hubiera gozado de unos nervios normales. Pero el abuso de la bebida, la fatiga del trabajo, la constante exhibición gloriosa y otras irregularidades de su vida, la descompusieron hasta

---

[27] *jocosidades:* chistes.

---

(87) La verosimilitud narrativa gana puntos con este titubeo del cronista que duda de la nacionalidad de la actriz. Se nos muestra aquel, de este modo, como una persona sin especial relieve ni participación en los sucesos, hecho que avala la objetividad del testimonio.

(88) El desarrollo del cuento, que oscila entre la punzante sátira social y el humorismo, se inclina en este momento por el segundo de los términos. Profundamente irónico (si no francamente ridículo) resulta que solo a partir de la trivial indisposición orgánica de una única persona, millones de seres humanos cobren conciencia del peligro de anulación de sus individualidades.

tal extremo al enterarse de la publicidad de su cólico, que se vio presa de una crisis que tuvo repercusión universal e histórica.

Durante varios días —todo el mundo lo observó— estuvo llorando sobre su cama, sin tomar ningún alimento. Pero no con un llanto más o menos histérico, sino reducido a una especie de gemido, único y monocorde, que no cesó hasta quedar totalmente afónica. Durante días resultó un espectáculo conmovedor ver aquella criatura, hecha un ovillo en la cama, los ojos cerrados, el gesto crispado y a la vez que se mordía una mano, emitir aquel sonido fino, interminable, angustioso. Fue su grito una especie de sirena del terror que escuchó el mundo entero y que puso en marcha la operación necesaria para cambiar aquel estado de cosas que llevaban al hombre a una nueva condición de animal.

A los tres días la pobre Sofie era una especie de pelele, a la que fue necesario someter a un riguroso tratamiento para volverla a la normalidad fisiológica, que no mental, ya que quedó en un estado de alienación total, del que jamás se recuperó. Se negó a salir de una alcoba absolutamente oscura y a recibir a sus amigos y familiares. Envejecida de manera súbita, continuó en la cama hasta que el olvido y el conocimiento de las nuevas medidas tomadas por el Gobierno Internacional, distrajeron la atención de las gentes.[89]

El caso Sofie puso en marcha el gran decreto de los

(89) Este Gobierno Internacional, órgano supremo con potestad sobre el Gobierno Federal Europeo, recuerda el poder del Partido en la novela de George Orwell *1984* (1949). Otros elementos del relato futurista del escritor inglés pueden emparentarse con el cuento de García Pavón: la telepantalla, el Gran Hermano cuyos ojos vigilan en todo momento a los sometidos habitantes del planeta, la Policía del Pensamiento que coarta la libertad individual...

tiempos nuevos, que aunque repugnaba a la mayor parte de las conciencias, resultó imprescindible para garantizar, al menos un poco más de tiempo, la supervivencia de la sociedad humana dentro de la barbarie de la técnica. La técnica en manos de los filisteos [28] y hombres comunes se había transformado en un peligro sin paralelo en la historia de la humanidad.[(90)] El famoso decreto establecía, ni más ni menos, una férrea dictadura, una verdadera tiranía, con el fin de lograr «la libertad ciudadana». Luego de un preámbulo que dejaba las manos libres al Gobierno de cada país para actuar en muchas materias, establecía legislación completa sobre la T.V.I. (televisión indiscreta, como se le llamaba de manera eufemística [29]) y se creaban unos tribunales especiales que podían hacer juicios sumarísimos aplicando en veinticuatro horas la pena de muerte a toda persona que se demostrase que utilizaba la T.V.I. Se dio un plazo prudencial para que todo el mundo pudiese deshacerse de sus aparatos, y en seguida comenzó una inspección especial casa por casa que ya no se interrumpiría nunca.

Y entró en vigor la famosa ley de «pena de muerte a la T.V.I.» para quienquiera que le fuese hallado el aparato o se le encontrase en trance de utilizarlo. La orden fue tan tajante, tan dramática y deseada, que en su inmensa mayoría fue rápidamente obedecida, ya que la policía se reservó el derecho de emplear la T.V.I. para investigar los

---

[28] *filisteos:* personas de espíritu vulgar y escasos conocimientos y sensibilidad. [29] *de manera eufemística:* con expresión suave y menos violenta que la que podría utilizarse en realidad.

[(90)] El cronista abandona aquí la relativa imparcialidad que lo había caracterizado, para tomar decidido partido en favor de las nuevas medidas (de carácter dictatorial, reconoce) de los gobernantes.

casos sospechosos. Cierto que el decreto garantizaba que el derecho a utilizar por parte de la policía la T.V.I. sería en casos limitadísimos, y ante un pequeño jurado permanente nombrado para tal efecto.[91]

De todas formas, durante varios meses, hasta que el terror tomó estado de conciencia, hubo en todos los países que ahorcar a varias personas, especialmente mujeres cuya curiosidad ejercitada en husmear en hogares ajenos era enfermiza, superior a toda fuerza coercitiva[30].

Resulta curioso que casi todas las mujeres que encontraron ante la pantalla de la T.V.I. eran unos seres histéricos y enmascarados completamente de negro, con una tupida careta, para no ser identificados con facilidad.[92]

Durante años, hasta que llegó la gran catástrofe, raro

---

[30] *coercitiva:* que contiene o sujeta.

~~~~~~

(**91**) Variadas pueden ser las lecturas profundas del cuento. La libertad (es una de las propuestas de interpretación) ejercida sin cortapisas (situación existente al principio, cuando todos pueden hacer uso del invento) engendra graves males que al final han de ser corregidos restringiendo los derechos sociales del individuo. Un error por exceso en la práctica de la libertad conduce a una insostenible situación de deterioro colectivo que hiere profundamente la necesaria intimidad personal. Y se llega, con objeto de corregir el mal creado por el libertinaje, a «una férrea dictadura» que (y he ahí la paradoja) toma medidas en favor de «la libertad ciudadana», entre ellas el establecimiento de la pena de muerte. El sistema represivo parece tan inevitable que todos lo aceptan de buen grado: es la paradoja extrema.

(**92**) La visión que de la naturaleza humana se desprende de este cuento es radicalmente pesimista. Solo el miedo al castigo incita al hombre a no violar las reglas sociales; únicamente un sistema coactivo es capaz de frenar los impulsos negativos (ejemplificados aquí en la forma de la curiosidad) anidados en el interior del ser humano.

era el mes que en todos los países no se ahorcaba a una de estas enmascaradas que habían hecho de la curiosidad universal una segunda naturaleza.[93]

(93) Otro final ambiguo. El cuento, en sí, tiene una estructura cerrada: con la conclusión del caso de la T.V.I. se pone fin, en efecto, a la historia desarrollada en él. Pero en el párrafo final se nos hace saber que años después se produjo una «gran catástrofe» de la que ya no se nos informa, al menos a los lectores (sí deben de estar al corriente de lo sucedido los oyentes del relato). La lectura (pesimista, ya ha quedado establecido) puede así prolongarse (y se diría que el autor nos incita a ello) *ad infinitum*.

MEDARDO FRAILE

Descubridor de nada

(1970)

Don Rosendo se levantó temprano, como siempre. Encendió la radio mientras se afeitaba y miró el calendario: 7 de marzo. Cumplía cuarenta años.[94]

Salió a desayunar y volvió a su cuarto. Sobre su mesa había un libro abierto y papeles.

Era domingo. El cielo estaba gris; no hacía frío.

Sin pensarlo, se puso el impermeable, se colgó el paraguas al brazo y salió.

«Una vuelta», se dijo.

Tiró, como siempre, por la calle de enfrente.

A la derecha había un campo de hockey; más allá, uno

---

(94) La edad que alcanza precisamente en este día el protagonista es considerada, de modo más o menos convencional, como el punto crítico de la vida adulta, fundamentalmente en sus aspectos psicológicos. Es el comienzo del declinar hacia la vejez, el momento en que el espejo le declara al hombre el apagamiento de los últimos rescoldos de juventud. El momento, en fin, en que el ser humano se replantea su vida, sometiéndola a una indagación existencial como la que va a formular don Rosendo.

de tenis y, por detrás, como otras muchas veces, vio pasar un tren, pequeño, rápido, con un penacho[1] de humo rozagante[2] que se quedaba atrás olvidado.

Torció a la derecha y cruzó el puente sobre las vías y, al llegar a la calle principal, en la tienda de la esquina, compró tabaco.

Siguió recto, a su derecha siempre, y, un poco más allá, compró dos periódicos.

Miró el buzón de correos al pasar, por costumbre.

Iba algo ajeno, como desentendido, porque a él, de «su vuelta», lo que le gustaba era la carretera y el campo, y estaba aún dentro de la ciudad.

Al llegar a lo alto de la calle, pasada la gasolinera, se veía el otro puente sobre la estación del ferrocarril —que él dejaría a la derecha—, campos de hierba sin cuidar y anuncios de cerveza, tabaco y abonos.

Acortó el paso al ver los primeros árboles.

Sentía un entumecimiento[3] ligero en la cintura, como si esa parte estuviera todavía dormida. Por lo demás se encontraba bien.

Los labios se le pusieron a silbotear bajo.

Se dio cuenta de que silbaba una canción de cuando era estudiante.

Mientras recordaba, a medias, la letra de la primera estrofa, llegó a otro puente: por debajo pasaban los coches; por encima, el tren. Torció a la derecha.

Cantaba en voz baja.

Pasó el puente del arroyo.

Cantaba. Era una canción sentimental, sencilla, de su país, en la que todo giraba en torno de palabras como *muchacha, flor, labios, promesa, amor, corazón, fuego, luz.*

Podía ser una canción de un país cualquiera.

Pensó en la posibilidad de hacer un libro, una serie de

---

[1] *penacho:* que tiene forma de adorno de plumas. [2] *rozagante:* vistoso. [3] *entumecimiento:* entorpecimiento de un miembro.

libros, tal vez: «El amor en canciones sencillas.» Canciones europeas, asiáticas, americanas... Quizá ya estuviera hecho.

Pensó en ella; no dejaba de «sentirla». Pensó en ella con lejanía y tristeza. Paula estaría ahora, en una casa que por fuera se parecía a otras muchas, como cualquier mujer en su quehacer anónimo en este día gris, muerto. Paula, a cada instante, se alejaba como un tren pequeño y querido por un túnel. Un tren que parece jugar y mirarnos mientras se aleja y que no volverá. Sus ojos intensos, claros, eran los farolillos de cola, su presencia cada vez más lejana, la última prueba de que pasó.

Nada importante, se dijo. Nos interesa menos lo que nos une que lo que nos separa. Cuando ya estamos unidos a alguien, incluso. Hay una lucha por ser uno mismo que lo corroe todo.[95]

Don Rosendo sintió una desesperación consciente, casi hermosa, localizada tal vez en el pecho, quizá en la garganta, cuando enfiló despacio la carretera que iba al cementerio y al río. Era como una oleada súbita que le volvía pesado el respirar, que le hacía obligarse a respirar, pesadamente.

Estaba seguro de que todo había terminado.

Y ese todo, a fin de cuentas, no había sido más —ni menos— que un amor prejuicioso[4] de provincia.

¿Prejuicios? Quizá no fuera la única palabra. Y a veces eran, en todo caso, inexplicables, ajenos a él.

---

[4] *prejuicioso:* objeto de prejuicios (juicios efectuados sin un conocimiento completo de la materia juzgada).

(**95**) La tensión entre el *yo* y los *otros* (en último término, la posibilidad o imposibilidad de comunicación entre uno mismo y los demás) es un planteamiento de raigambre existencialista. Las reflexiones de don Rosendo conducen a conclusiones pesimistas no muy lejanas de las ideas existencialistas sobre el radical e insalvable aislamiento del ser humano.

Visitas, paseos, cartas después de los paseos y las visitas, té, libros y la orilla del mar. Hubo que hablar, incluso, como cosa «avanzada», de Jean Paul Sartre [5], que él tenía sabido y casi arrinconado.[(96)]

Varias veces procuró don Rosendo llevar la atención de ella hacia Camus [6].

La vida provinciana, minuciosa y monótona, el silencio, había precipitado de *amabile* [7] a *appassionato* [8] la música de aquel amor.

Amor provinciano. ¿Qué amor verdadero no lo es? Aunque sea en Nueva York, en Londres o en París.

Pero este «no podía ser», se confesó revuelto, sin creérselo.

Tenía buenos recuerdos.

Pero don Rosendo iba pensando en las horas y en las palabras últimas.

Pasó junto a la puerta de peatones del cementerio —«Prohibido el paso de vehículos»—, y miró, como siempre, y leyó, como siempre, el nombre de la primera lápida: Pascualina Pantanella. Quizá una italiana —había pensado

---

[5] Filósofo y escritor francés (1905-1980), máximo representante del pensamiento existencialista, el de más profunda influencia en el transcurrir de nuestro siglo. [6] Albert Camus (1913-1960), escritor francés (nacido en Argelia) muy próximo al existencialismo, pensamiento al que incorporó una cierta esperanza en el hombre que lo distinguía de la filosofía sartriana, de carácter más pesimista. [7] *amabile:* en Música, indicación con la que el compositor pide que un fragmento se interprete de manera gentil, «amable». [8] *appassionato:* indicación mediante la cual el compositor pide al intérprete que determinado fragmento se ejecute «con pasión», con vivacidad.

---

(96) La filosofía existencialista comenzó a divulgarse con cierta amplitud, en España, durante los años cincuenta. El hecho de que don Rosendo hable de Sartre como de un autor «sabido y casi arrinconado» permite la datación del suceso relatado en los años sesenta.

alguna vez—, casada con un extranjero, que habría colorea-
do la vecindad de olor a aceite y a spaghetti, con hijos sanos
y sucios y canciones, risas e «il cuore» ⁹ a flor de labios.

Pasado el cementerio, a la vista del río, había una
pradera fresca, sedante. Como siempre, se desvió un poco a
la izquierda para meterse en ella.⁽⁹⁷⁾ Unos arbustos la
deslindaban, al fondo, de un campo de maíz y coles.⁽⁹⁸⁾

Iba canturreando la canción, despacio, mirando al
suelo. Para don Rosendo era una canción tan humilde como
revolucionaria.

«Yo no vuelvo», se dijo.

Y sintió una alegría empañada.

Sintió que era amo de su cuerpo y tuvo conciencia
mordiente, agresiva casi, de cada una de sus partes.

Era de verdad grande, *humano*, no volver a la carne más
gustada y querida. Saber el camino, estar en cuerpo y alma
mirando hacia él y reconocer, sin embargo, que existen
razones para no seguirlo. Cada hombre a veces siente el peso
de la confianza puesta en él por no sabe quién ni cuándo. Y
a favor de algo común, contra él mismo, es fiel a esa
confianza.

Entre la hierba, vio el cuerpecillo luciente, vivo, de una

---

⁹ *il cuore:* traducido del italiano, el corazón.

(**97**) La utilización de la fórmula comparativa («como siempre») se ha ido convirtiendo, a lo largo del cuento, en un *leitmotiv*
que resalta la rutina a la que se ve sometida la existencia del
personaje.

(**98**) Abundan en el cuento las referencias a la Naturaleza, en
la que don Rosendo halla refugio para su soledad. Al principio del
relato se planteaba, incluso, una identificación relativa entre los
melancólicos pensamientos del personaje y las circunstancias climatológicas: es un día gris, probablemente otoñal, en el que es fácil
sentirse solo.

piedra de río. Tenía un ombligo en el centro, era sonrosada y le miraba casi.

Se agachó contento del hallazgo y la cogió; la tuvo un rato en la mano y la metió en el bolsillo del impermeable.

Junto al río, cerca del puente, un hombre justificaba su ocio con un perro. Le tiraba lejos algo que el perro buscaba y volvía a traerle en la boca. Don Rosendo pensó que hay quien, además del perro que lleva dentro, lleva otro fuera.

Y atravesó el puente y, a su derecha, bajó por unos escalones de piedra a coger la orilla izquierda del río.

Había a su lado campos de golf y olía a hierba recién cortada.

Lejos, vio una pareja de pescadores: un hombre y un niño; los había siempre en esta parte, pero don Rosendo nunca había visto que pescaran nada. Resultaba raro observarlos de trecho en trecho, lanzando el sedal lejos con buena mano, siguiéndolo un rato al compás del agua, y volviendo a empezar, una y otra vez.

En esta vida, ¿quién no está pescando?, se dijo.

Tenía la sensación de tener anzuelos puestos, mal o bien cebados, en varias partes. Y de estar con la ilusión —pobre ilusión— en vilo.

El hombre, al pasar él, enseñaba a tirar el sedal lejos al niño. Don Rosendo sonrió incrédulo, triste.

Era domingo.[99]

Echó de menos, de pronto, las campanas. ¿Y ella? ¿Las echaría de menos?

Dios. ¿Dónde estaba Dios?[100]

(**99**) La información ya es conocida por el lector; el hecho de repetirla refuerza la impresión de rutina.

(**100**) La espiral de reflexiones existenciales de don Rosendo culmina en el gran y definitivo interrogante. Del problema personal (el recuerdo de una frustrada relación sentimental), el personaje ha pasado a la indagación metafísica.

Paseó su mirada por la hierba, por el agua y oyó el pitorreo [10] sin tregua de los pájaros.

El cielo era de plomo.[(101)]

Subía, contra corriente, una pareja de cisnes; el macho, delante, sin mirar atrás; la hembra, siguiéndole a unos metros, a su mismo paso, cauta y vigilante, con atracción domada, silenciosa, irresistible. Así debía de ser, quizá. Así era.

En el agua, el aire, la tierra —tal vez en el fuego—, los cuerpos se atraen, se buscan. ¿Habrá animales solteros?, se preguntó. Y esa palabra, *soltero,* para un animal, le pareció ridícula.

Venía, en dirección contraria, una pareja. Se besaban como si estuvieran solos en el mundo. De lejos, parecían vulgares.

Al cruzarse con ellos, los vio pelirrojos, feos, pero también jóvenes y nimbados [11] por una absorta inocencia, hermosos como una abstracción cualquiera, macizos como rocas.

A lo largo del río, distanciados, había salvavidas colgados en postes.

En los postes había puesto la gente frases y dibujos de todas clases y, en uno de ellos, leyó: «Bob es marica.»

Letrero universal —pensó— que dentro de unos años tendrá, quizá, que reemplazarse por este: «Bob es un hombre.»

Luego, mirando el salvavidas, repitió varias veces el vocablo, *salvavidas,* sin enjuiciarlo, pero con extrañeza.

---

[10] *pitorreo:* trino, gorjeo.   [11] *nimbados:* rodeados por una aureola.

(101) La imagen está en correspondencia directa con lo escrito en otro momento: «el cielo estaba gris». Si al principio del paseo el narrador (identificado con el sentir de su personaje) se limitaba a proporcionar una descripción física, ahora, acrecentado el pesimismo, utiliza una imagen opresiva (plomo, metal pesado).

Decidió, al fin, que era una palabra demasiado optimista.

Por el borde del río asomaban, sanas y tímidas, manchitas amarillas y azules, flores tempranas, tensas, bajo el cielo gris.

Don Rosendo llevaba una mano en el bolsillo del impermeable dándole vueltas, distraídamente, a la obra perfecta, esculpida por nadie, de la piedrecita suave, rosada.

Llegó al embarcadero de las piraguas, donde había visto a veces hasta veintiséis cisnes, y dobló a la derecha, mirando el desagüe de la presa en el que hallaron, hacía solo tres meses, el cuerpo muerto de Miss Phillis Smith, que, a los cincuenta y siete años, no quiso vivir más.[102]

Don Rosendo tarareaba su canción, sin motivo alguno aparente, pero sin dejarla, como un desahogo, como un sueño, como algo que necesitaba oír, tener, más que su misma cabeza, el corazón o sus pasos.

Cada palabra, modesta, de esa canción tenía para él ahora un palpable, cálido sentido.

Tras la curva suave de una tapia apareció la puerta de su casa.

La «vuelta» de don Rosendo —tres cuartos de hora, aproximadamente— había terminado.

Atravesó el patio y entró en su cuarto.

Dejó los periódicos, el paraguas, y se quitó el impermeable mirando al campo por la ventana.

El día continuaba gris.

(**102**) Alguna connotación autobiográfica es rastreable en este cuento. En los años sesenta, Medardo Fraile había abandonado España para ocupar una plaza docente en Gran Bretaña, país en que se localiza la acción de un relato protagonizado (la sensación de extrañamiento está presente de continuo en el desarrollo de «Descubridor de nada») por un extranjero a quien no es aventurado, por su nombre, atribuir la nacionalidad española.

En el cuarto había un silencio absoluto.

Los papeles y el libro sobre la mesa parecían mirarle.

Sentía don Rosendo una extraña inquietud, como si tuviera la evidencia de haber descubierto algo, que debería redescubrir ahora para saber qué era.

Sólo se pueden descubrir cosas —pensó con esperanza— a cambio de perder; con el alma o los pies en otro sitio, con la sangre a otro ritmo. Sólo se descubre lo que no es nuestro o se nos va y vemos que se va: ese era nuestro tren, decimos.

O creemos quizá que descubrimos algo y cambiamos solo una cosa por otra.

Don Rosendo tenía la emoción de cualquier navegante afortunado —él estaba lejos también de su país—; sentía la necesidad humana de vocear lo nunca visto antes, el deseo imperioso de hacer un inventario de lo nuevo, para saber el alcance de su descubrimiento.

¿Qué es lo que había pasado? ¿Solo el tiempo? ¿Solo un año? No. ¡Algo más!

Y alegre, pero emocionado y temblando, temeroso, se sentó a la mesa, apartó el libro y empezó a escribir con humildad: «Don Rosendo se levantó temprano, como siempre...»[103]

---

(103) Este es el triunfo de su yo, la afirmación (provisional) de su propia existencia: escribirá el cuento que el lector acaba de leer. De su tristeza, don Rosendo ha sacado materia novelable: ha convertido la vida en literatura. Ningún otro hallazgo puede ser más apetecible para un escritor.

ALONSO ZAMORA VICENTE

Con la mejor voluntad
(historia patriarcal, naturalmente
conservadora)[104]

(1970)

¡Que no te metas ahí, que va a estar hecho unas gachas [1]
y el coche se atasca! Y venga a repetirlo, pero que si quieres
arroz, Catalina.[105] Que el coche se metió en el prado donde
el agua estaba disimuladita, y no hubo remedio.[106] Las
ruedas enloquecidas, palabros [2], muchos mecachis en sordi-

---

[1] *gachas:* comida compuesta de harina cocida con sal y agua y, en
general, cualquier masa muy blanda; también, barro.   [2] *palabros:* palabras
malsonantes.

(**104**) El subtítulo avanza el cariz humorístico del cuento. El
campo retratado en este ya no es el de las reivindicaciones sociales
tan gratas al socialrealismo (¿de ahí el adjetivo «conservadora»?),
sino un ámbito poblado por individuos recelosos, no muy dados al
esfuerzo no remunerado y en una situación económica no precisamente angustiosa.

(**105**) No va a ser esta la única ocasión en que el autor recurra
a la fraseología popular, en consonancia, desde luego, con el
lenguaje (prodigiosamente manejado) que se emplea en el cuento.

(**106**) Se van a reiterar también los coloquialismos, los diminu-

na³ por aquello del qué dirán las señoritas, y a sufrir se ha
dicho. Qué le vamos a hacer. Son gajes⁴ de la moderniza-
ción, ea, sarna con gusto no pica. Pero hay que salir de aquí.
Aquí es las afueras de un pueblecito, cerca del cementerio, a
la puerta de un alfar⁵. Y luego dirán que no hay intereses
por la artesanía, la cultura popular, etc.⁽¹⁰⁷⁾ El coche se
debate en el fango, lanza al aire toneladas de suciedad, pues,
también es potra⁶, la hierba recrecida ha ocultado a medias
un estercolero, esas afueras agradables, con plásticos vacíos,
muñecos descabezados, mucha loza sanitaria⁷ desmenuza-
da, algún zapato viejo, esa blancura triste de las escayolas
falazmente⁸ lujosas, ya en ruina irremediable. Pateamos,
empujamos, ideamos buscar trapos, algo sobre lo que las
ruedas puedan moverse... Nada. Los trapos no se ven, y
seguramente están ahí al lado, y el alfar está cerrado, ya se
sabe, ahora es invierno, no vienen americanos a llevarse
botijos, o cantimploras, o pitos⁹, o gallos rechonchos, ni a
encargarse ceniceros con fecha y rúbrica¹⁰, habrá que
esperar a que llegue de nuevo el boooom ese turístico, qué
caramba...⁽¹⁰⁸⁾ Quizá hacia las doce venga el hombrecillo, a

---

³ *en sordina:* en voz baja, con disimulo.   ⁴ *gajes:* molestias, perjui-
cios.   ⁵ *alfar:* taller de alfarero.   ⁶ *potra:* buena suerte.   ⁷ *loza sanitaria:*
conjunto de aparatos de higiene instalados en cuartos de baño.   ⁸ *falaz-
mente:* engañosamente.   ⁹ *pitos:* castañuelas.   ¹⁰ *rúbrica:* rótulo, inscripción.

tivos matizadores, los guiños a un lector cómplice que ha de entrar
de lleno en la situación humorística planteada, etc.

(**107**) Cabe la posibilidad de que el empleo, en esta frase, de la
palabra *intereses* no sea tan casual como parece. Esperaríamos
encontrar el lógico *interés* (= sana preocupación), en lugar de este
plural que tiene, ciertamente, significación propia en nuestra
lengua (= conveniencia o necesidad de carácter colectivo), pero
que al hablante normal le remite a una nada desinteresada tercera
definición (= ganancia, lucro) que hace pensar en el negocio de
artesanía instalado en las inmediaciones.

(**108**) En la época en que el cuento se escribió afluían a España

ver si cae alguien que va de paso, son los más fáciles de
engañar, se encaprichan con nada, con los bebederos de los
pollitos, y con las huchas en figura de cerdito, y con las
jarras para sangría, y las pilillas de agua bendita... qué
curiosidad sana, limpita, por todo. Bueno. Que nada, que el
auto sigue ahondando en la tierra y ya llega el cubo [11] de la
rueda más abajo de lo permitido... Y la puerta apenas se
puede abrir ya, y el agua y el barro nos llegan a los que
empujamos, no vea usted dónde nos llegan. En fin, a pesar
de que está de moda decir palabros no es necesario decir
dónde llega el agua ahora, que además es más arriba, sí,
señor, sí, casi a la garganta...

* * *

Menos mal que Dios aprieta, pero no ahoga. Ya está
aquí el primer auxilio. Aparece mansamente un rebaño,
como corresponde al paisaje tradicional (verdecito el prado,
campanadas lejanas, esquilas [12], una radio que suena lejos).
Las ovejas avanzan lentas, por el ribazo [13], mordisqueando
la hierba tiernecita, y los perros las acosan, envolviéndolas.
El pastor viste con lujo casi. Zamarra de cuero nuevecita,
quizá, pienso yo por no estarme quieto, algún regalo del
mayoral [14], cayada [15] con adorno al fuego [16], papahígo [17] de
cuero también... En fin, un pastor endomingado [18] como

---

[11] *cubo:* pieza central en que encajan los rayos de la rueda de un
vehículo. [12] *esquilas:* cencerros pequeños. [13] *ribazo:* porción de tierra con
elevación y declive. [14] *mayoral:* pastor principal. [15] *cayada:* bastón, curvo
en su parte superior, usado por los pastores. [16] *al fuego:* realizado con
instrumento de hierro candente. [17] *papahígo:* montera que puede cubrir
toda la cabeza, salvo ojos y nariz. [18] *endomingado:* vestido con ropa de
fiesta.

---

cantidades importantes de turistas, en respuesta a la promoción
realizada para incrementar el número de visitantes extranjeros. A
aquel fenómeno se le llamó el *boom turístico de los sesenta*.

Dios manda. Grita a las ovejas de cuando en cuando, y los perros dan saltos, van y vienen, se mordisquean, y las ovejas van avanzando por donde él quiere, despaciosas, sosegadas, sin hacer el menor caso del cuatroele [19] que fue azul verde, ahora de ese color indefinible de la boñiga vieja, del fango revenido [20], de las briznas de hierba desgarradas... El pastor, amablemente, confía su ganado a sus perros bigotudísimos y se acerca.

—¡A la buena de Dios, coño! Pero, coño, pero cómo se han metido ustedes aquí, si el camino va por ahí arriba, ¿no lo ve usted? Pero, coño, está bien claro. A ver, el camino no pasa por aquí, pero, ¡hombre! Han hecho lo mismito que un camión el otro día, que también se metió por aquí, se ve que esta gente de los autos no ve por dónde va, a ver, coño, si no... A ver ahora cómo salen ustedes de ahí.

Se ve en seguidita que el pastor tiene muy buena voluntad, y que lo mismo el del camión del otro día que nosotros somos unas calamidades que no entendemos de nada. Sin embargo, y por temporizar [21]:

—Bueno, la verdad es que ya no tiene remedio. Y que hay que hacer por salir de aquí... A usted, ¿se le ocurre algo?

—Sí, hombre, claro que sí. Aquí tenemos de todo, hombre. Este pueblo, tan cerquita de Madrid, ¿no ve?, lo que pasa, pues que tenemos de todo. Mire, lo mejor es ir a donde el Antonio, que tiene una máquina de arrastrar piedra, ¿sabe?, de la cantera, eso es, de la cantera. ¿Comprende usted, una cantera?...[109] Pues bueno, el Antonio

---

[19] *cuatroele:* modelo de automóvil-furgoneta. [20] *revenido:* escupido. [21] *temporizar:* acomodarse al parecer ajeno.

(109) El pastor da por supuesto que el automovilista, ignorante hombre de la ciudad, no sabe lo que es una cantera. Este sentimiento de superioridad sobre el habitante de la urbe (sentimiento ya avanzado en las primeras palabras que ha cruzado con

viene con su bólido ese, y ya está. Están ustedes en el camino en un decir Jesús. ¿Ustedes van al Escorial[22], no? Es lo que pasa, todo el que va al Escorial, al llegar aquí, se pierde. Toma, a ver, este pueblo...

—Muchas gracias, hombre. Es buena idea. ¿Dónde vive Antonio?

—Ahí, ¿no ve esa casa blanca? Pues una o dos más allá, pasada la tienda de la Quica, no tiene pérdida. Usted va allí, de mi parte, pero, no, no vaya, es mejor que vayan los chicos, que tienen buenas piernas. Usted ya está algo mayor. Tú, zagal[23], deja ya el coche y vete a casa del Antonio, que menuda máquina tiene. Alemana, no le digo más...

El chico se dispone a ir a esa casa blanca. La verdad es que, desde donde estamos, las casas, las tapias, todo es blanco. Yo veo por lo menos una docena. Importa ganar tiempo.

—Dice usted... ¿La que hay detrás de ese arbolito?

—Quia, hombre, la otra. ¿No ve esa con chimenea? Mire, la calle baja así, y tuerce así, y luego, se tuerce otra vez, y ya se ve la tapia. La casa tiene un portal así, y una ventana más allá... Ah, se me olvidaba, tiene un poyo[24] en la puerta. Seguramente que tiene allí atada la burra el señor Pascual, que se le ha hundido el cobertizo con estos aguaceros, hombre, vea usted, por poco le mata al cerdo, ya bastante crecido. Lo que yo digo, en casa del pobre todo son goteras, y qué verdad es, coño, qué verdad es.

El chico se va a buscar al Antonio, sin muchas ganas, pensando que quizá sea mejor ir a buscar un teléfono y

---

[22] San Lorenzo de El Escorial, municipio madrileño cuyo entorno y monasterio son centros de atracción para numerosos visitantes.   [23] *zagal:* en los pueblos, muchacho.   [24] *poyo:* banco de piedra, yeso u otra materia.

él) lo comparte el pastor, como habrá de verse, con los demás lugareños.

reclamar un taller, una grúa servicial y práctica. Pero el pastor asegura que el Antonio, bueno, su máquina, saca lo que haga falta de donde haga falta, y que además, no nos debemos ir sin ver la máquina, porque la máquina, claro, en fin, la máquina. Y Antonio, por darse pisto [25], ni cobra.[(110)] Ya lo verán, ya. Bueno es el Antonio.

El chico y las chicas, regocijados en el fondo, chapoteando y cantando el último aire [26] de Salomé [27] se largan a la caza de Antonio. Me quedo solo con el pastor, bajo el viento duro y cortante de la montaña. Hace frío, intenso. Los perros aúllan escandalosos, simpáticos, van, vienen, se acercan, lamen la mano del pastor, gruñen un poco cuando intento acercarme a ellos. Uno, canelo [28], bigotes como zarzas, rabudo, me enseña los colmillos muy significativamente, y, ya calmado, se acerca al cuatroele, olismea [29] y saluda con su patita alzada lo que queda al descubierto de la rueda. Luego se sacude, con lo que acaba de pringar a conciencia la fachada del coche. El pastor, por si no lo he notado:

—También es cachondo *Brazato*... ¡Mira que ir a mearse al coche...! ¡Chucho...!

Una pedrada entusiasta no alcanza a *Brazato*, pero sí da en la portezuela del coche, que estrena un hermoso desconchón [30]. Vaya por Dios. Estos perros. El tiempo se hace largo bajo el vendaval cortante. Caen algunos trapitos [31] de vez en cuando. Yo, por hacer más llevadera la espera, y por captarme la voluntad del pastor:

---

[25] *darse pisto:* darse importancia. [26] *aire:* canción. [27] Cantante española que alcanzó notable popularidad a raíz de su triunfo en el Festival de Eurovisión celebrado en 1970. [28] *canelo:* del color de la canela. [29] *olismea:* husmea. [30] *desconchón:* caída de un pequeño trozo de la pintura de una superficie. [31] *trapitos:* copos de nieve.

---

(110) La generosa predicción del pastor no va a corresponder exactamente a la realidad.

—¡Qué ovejas preciosas, nutridas! Esto vale un capital ahora...

—¡Hombre, ya lo creo que están lucidas! Este tiempo les sienta muy bien, a ver, los pastos están frescos y abundan...

Sigue un ratito de elogios a las mansas ovejas. La esquila suena insistente, desvaída en el viento, un avión cruza altísimo.

—Van a América, ¿sabe? Pasan por aquí.[111] Juanito, el del practicante, que estudia para notario, pasó una vez por ahí, y me dijo que reconoció este prado, y mi rebaño, y mi burro. Ya ve. Juanito iba al Canadá, que es una tierra para allá lejos...

—Bueno, es que este rebaño... Un rebaño como este, ¿eh? Son preciosas sus ovejas. Y usted, ¿cómo trabaja esto? ¿Está bien pagado? ¿Trabaja usted por jornadas, o cómo?

Nunca he visto mayor desdén en el gesto. Casi el viento se para asustado, oprimido contra el pecho levantado de la zamarra de cuero negro, que ahora veo comprada en el más lujoso almacén de deportes. El pastor carraspea, se coloca la cayada en el antebrazo izquierdo, saca el pecho, vuelve a carraspear, me mira de arriba a abajo de manera que yo mismo me miro —¿contemplará la mierda que tenemos encima, de cuando hemos empujado el coche?—, se sonríe parsimonioso, y repiquetea[32] las sílabas con bastante mala uva:

—Estas ovejas, señor, son mías, vamos, de un servidor, o sea, que soy el dueño, ¿estamos?

—Ah, claro, ya decía yo, están preciosas. Realmente. Tiene usted aquí una fortuna...

---

[32] *repiquetea:* desmenuza con lentitud y cierto ritmo.

(111) Su pueblo es, para el amistoso lugareño, el centro del universo: incluso los aviones que se dirigen a América pasan por encima de él. Y es que, como el pastor decía antes, en este lugar hay de todo.

Las cosas han cambiado con la propiedad declarada:

—¡Qué va! Están muy mal este año. Todas tienen las patitas blandas. A ver, tanto llover. Y el pasto está poco hecho, aguachirnado [33], a ver, tanto llover, no se puede con tanto llover. Las ovejas, además, no dan más que disgustos, venga impuestos, impuestos y más impuestos, y la gente ahora no come tanta carne como antes, a ver, esas costumbres nuevas de las verduras y las verduras. [112] Y las chuletas, que las zurzan, coño. No vamos a poder vivir.

El rebaño es numeroso y bien adiestrado por los perros. Observo que hay una oveja oscura, entre el blanco turbio de las demás:

—Tiene usted una negra.

El pastor me mira intrigado:

—¿No lo dirá con segundas, eh? [113]

La situación se salva inesperadamente. Por la tapia del cementerio, zancarreando [34], aparece un hombre. Viene embozado en una gran bufanda, y aunque nos ve, parece que se hace el desentendido y se quiere ir por otro lado. El pastor, iluminado [35]:

—¡Salustianooooo! Ven para acá, hombre, que hay aquí un señor de Madrid atascado en el barro. ¡Ven, hombre,

---

[33] *aguachirnado:* encharcado. [34] *zancarreando:* caminando sin garbo. [35] *iluminado:* repentinamente animado.

(112) El talante desconfiado que la tradición popular atribuye al hombre del campo ha cobrado cuerpo, con inusitada celeridad, en el personaje, receloso de que se le esté haciendo hablar más de la cuenta con objeto de arrancarle alguna concesión (¿impuestos, y de ahí la precavida alusión a ellos?).

(113) Preguntas como esa, reflexiona (de nuevo con una rapidez asombrosa) el pastor, nada bueno pueden llevar dentro. Algo trama el forastero, y el desconfiado dueño de las ovejas se siente obligado a ponerse en guardia.

acércate...! Ya verá usted, Salustiano tiene un tractor, y, si
sus mozos no encuentran al Antonio, ya está la cosa resuelta.
Salustiano trae su tractor, y usted, tan pimpante. ¡A comer
al Escorial!

Los gritos los acarrea el viento contra las tapias próximas. Los perros ladran a Salustiano, que les da una patada
y los aleja. Salustiano llega, y un poco antes, dirigiéndose al
pastor:

—¡Qué gritas tú ahí, leche, que parece que te has vuelto
loco por la mañana temprano! ¡Ni que hubiera fuego, leche!

El pastor, solemne, alegórico [36]:

—¡Aquí, un señor de Madrid! ¡Aquí, Salustiano, el
Canastas! Mira, hombre, que este señor tiene el auto metido
aquí, en el prado, y se ha atorado [37]. Si tú pudieses, traías tu
tractor y lo sacabas en un santiamén. Anda, hombre, que
han ido a buscar al Antonio, pero, a lo mejor, el Antonio,
como es fiesta, se ha ido a Madrid.

El tal Salustiano abre los ojos, se baja con los dientes un
poco la bufanda, y descubre entonces que el coche está
hundido en el fango:

—Pero, coño, pero cómo se han metido ustedes aquí, si
el camino no es por aquí, el camino va por ahí arriba, coño.
¿No lo ve? Pero, coño. Han hecho igualito que el camión de
los ladrillos el otro día, a ver, por salirse del camino, coño, a
ver cómo sale usted ahora de ahí, coño. Mire, el camino va
por ahí, da la vuelta así, y tuerce por ahí, así, y se viene
hasta la puerta. Pero, así, coño, así, claro, pues que se
atascó, coño, se atascó... ¡Gachó [38], cómo no se iba a atascar!

Y Salustiano, acompañado del pastor, vigilan atentamente, las manos en los bolsillos, el atasco, y dan vueltas de
aquí para allá, y repiten una vez y otra lo del camión, sin
coincidir mucho en la carga. Uno sostiene que ladrillos, otro

---

[36] *alegórico:* que se expresa mediante metáforas; aquí, obviamente, en
sentido irónico.   [37] *atorado:* atascado.   [38] *gachó:* hombre.

que abono, y así se va pasando el tiempo, y los que han ido a buscar al Antonio no aparecen, y el frío es cada vez más cortante. Salustiano dice, generoso, las manos en los bolsillos, una vuelta más de la bufanda ayudado por el viento:

—Pero si han ido a buscar al Antonio, hay que esperar a ver qué dice el Antonio. Si no aparece, mi landrover [39] lo saca, vamos que si lo saca, porque el otro día, un coche que se metió ahí, en el desvío de San Martín [40], lo saqué, y antes, hace unas semanas, la camioneta del pescado que se metió en la cuneta, coño, y cargada, vamos que si la saqué, porque mi landrover... Claro que me hará falta un cable, yo no tengo cable. ¿Usted llevará un cable para estos casos, no?

No, no llevo cable, y estoy perdiendo la cuerda [41] y la paciencia. Las ráfagas del ventarrón, ese viento largo y desesperado de la montaña, amenazan con sacar ellas solitas el coche del atolladero. Los del Antonio no dan señales de vida, y me complazco en suponérmelos en el bar del pueblo, tomándose un recuelo [42] caliente, quizá unos churritos, ¿eh?, viva la solidaridad, mientras Salustiano repite una y mil veces más que el camino no iba por allí, que a quién se le ocurre, que si no tenemos ojos en la cara, y menos mal que su landrover. Bueno está lo bueno [43]. Pero el landrover está de descanso, guardadito, mejor será que la máquina del Antonio, que es alemana...

Yo intento dar unos pasos, buscar el reparo [44] de la tapia, pero, en cuanto intento moverme, *Brazato* y *Ortigoso*, dos corrupias [45] que no entienden de atascos, se me acercan agresivos. Me veo obligado a ir bajando poco a poco el pie

---

[39] *landrover:* marca de tractores.   [40] San Martín de Valdeiglesias, pueblo situado al suroeste de la provincia de Madrid; su partido judicial limita con el de San Lorenzo de El Escorial.   [41] *cuerda:* resorte que controla el funcionamiento de un mecanismo.   [42] *recuelo:* café cocido por segunda vez.   [43] *bueno está lo bueno:* expresión que denota disconformidad con algo que se ha tolerado, pero que ya ha llegado al límite.   [44] *reparo:* resguardo.   [45] *corrupias:* animales que causan espanto por su aspecto.

que intentaba sacar del barro. Llegan nuevos visitantes. El
pastor se ha acercado a la esquina del alfar, la que da al
pueblo, y da grandes gritos otra vez. El viento se los lleva,
y yo percibo intermitentemente lo que dice:

—Eh... Juanjo... Coche...or de Madrid... atoró... Sí, ven,
coño, con tus mulas...or, ...drid te dará la voluntad...
Coño...

Y al instante aparece el tal Juanjo por la esquina, las
manos en los bolsillos. Lleva la visera encasquetada de modo
que no hay viento que se la lleve. Eso se llama experiencia,
claro. Juanjo se acerca al grupo, asustando a los perros que
quieren también saludarle, y no muy cariñosamente, y el
pastor le recibe con unas palmadas en el hombro. Juanjo es,
o parece, algo memo, mejorando lo presente, claro, y un sí es
no es [46] cegato. Por lo menos se acerca mucho al coche,
chapotea en el barro refunfuñando algo de Joder cómo está
esto de mojao. La madre que lo parió. Ya se podían haber
ido a otra parte. Siempre es en el dichoso alfar donde pasan
estas cosas, leche, y después de comprobar con dos buenas
coces que el coche existe y está allí (digo yo que sería eso lo
que quería, no iba a ser para repetir lo del perrito de
marras [47] delante de todos, para eso están las tapias, digo
yo), dice muy solemne y convencido:

—¡Coño, si se ha atorao!

—Pues, sí, más bien, ya ve usted...

Y otra vez —¿será que lo declaman en las clases
nocturnas?:

—Pero, coño, pero cómo se ha metido usted aquí, si el
camino va por allí, ¿no lo ve? Da la vuelta así, y ya está
aquí, coño, ya está. Ha hecho lo mismito que el camión del
otro día, coño, lo mismito, ¿se acuerda, tío Ugenio?, el

---

[46] *un sí es no es:* expresión que denota pequeñez, poquedad.   [47] *de marras:* locución que, denotando humor, alude a algo conocido sobradamente.

camión de cemento, que vaya sonroera[48] que armó, eh, coño, estos tíos que no ven el camino. Pero, coño, esta gente de los autos no ve por dónde van, coño. A ver cómo sale usted ahora de ahí, porque, coño, el coche está atorao, pero a base de bien, ¿eh?, no me diga usted que no, coño, que a la vista está.

El tío Eugenio, el pastor, con mucho miramiento, le dice que el camión del otro día no llevaba cemento, sino abono. Y Salustiano sostiene que ladrillos, y que... Bueno. Las manos no salen de los bolsillos. Me atrevo:

—¿No cree usted que con una manita entre todos?...

—Será mejor esperar a ver si viene Paco, el del alfar, que es muy mañoso, y nos presta unas gavillas[49] de jara[50] para ponerlas debajo de las ruedas, porque así, qué coño va a andar, hombre, no me diga...

—Yo no digo nada de nada. Pero mis machos lo sacan, vaya si lo sacan. Menudo es mi Frascuelo, ya verá, ya...

El pastor insiste, servicial, con la mejor voluntad:

—Venga, Juanjo, no seas soleche[51] y tráete tus mulas, que están ahí a la vuelta, ya uncidas y todo, y a tirar. Que ya lo creo que sale.

—Es que mire, tío Ugenio, es que esas no son las mulas, sino los machos.

—¿Qué más da?

—Cómo que qué más da. Los machos son más forzudos, coño. Y tiran más deprisa.

—Bueno, bueno, a la cosa, leche.

—Sí, pero, yo, vamos, quiero decir, esto es un servicio, ¿no? O sea, que mis machos comen, ¿no? Aquí, ¿quién apoquina[52]?

—Este señor de Madrid es muy mirao, y te dará la

---

[48] *sonroera:* atasco de las ruedas de un vehículo. [49] *gavillas:* conjuntos de ramas, hierbas, etc. [50] *jara:* arbusto verde muy abundante en el centro y sur de España. [51] *soleche:* pelmazo. [52] *apoquina:* paga.

voluntad, hombre, no hay que ponerse pesado. Repara que es de buenas maneras, coño.

—Ah, si es así, pues yo voy por las mulas, digo: por los machos. Y ya verá, ya. Oiga usted, madrileño, ¿usted no tiene un alambre gordo para tirar del cacharro?

—No, no tengo. Ya se lo he dicho antes al señor Salustiano.

—¿Y cómo le dejan salir sin alambres? Eso debería estar mandado por los vampiros, o séase por los civiles. Bueno, usted súbase y déle marcha atrás, porque voy a uncir por aquí, por el parachoques.

—Pues verá... El caso es que yo no conduzco...

—¿Usted no conduce?

—No...

—Pero, coño, si usted no conduce, ¿cómo se ha metido aquí el coche? Anda, mi madre. Ahora sí que no lo entiendo. ¿Ha oído usted, señor Ugenio? ¡Que no conduce! Yo no voy a mancar[53] mis machos por esto. Si luego lo sacamos, y ¡qué! El tío este no conduce. ¿Eh? No conduce...

El pastor lo tranquiliza, y le hace traer las caballerías. No sé por dónde ha sacado un cable grueso, capaz de levantar una locomotora. Juanjo va atando el cable al parachoques posterior, hundiéndose en el barro. Han aparecido algunos espectadores más, que vigilan la operación calladamente, sin sacar las manos de los bolsillos. Van, vienen, miran, recuerdan el camión —¿harina, cemento, ladrillos, abono?—. Los chicos siguen sin venir. Seguro que están tomando un segundo café en un sitio calentito, los muy puñeteros, mientras yo, aquí, con este viento, con estos perros, y con esta gente tan ayudadora... En esto, a lo lejos, por la calle que lleva a la casa blanca del Antonio, aparece un hombre, Paco el alfarero. Todos le gritan, le dicen Mira lo que hay aquí, Un señor de Madrid que venía a verte, Ya

---

[53] *mancar:* lisiar, lastimar.

podías estar aquí, Eres un cansao, un caradura, Siempre
pasa lo mismo. La verdad es que no sé por qué le gritan.
Paco está lejos, y el viento aleja las voces enredándolas en los
fresnos[54] desnudos, golpeándolas contra las tapias del cementerio, se las ve perderse inútiles en la brama[55] desolada
del invierno. Paco, algo más cerca, sospecha que algo pasa
en su puerta, y grita —y esta vez el viento lo trae muy claro:

—¡Voy a tirar los calzones!

Ya iba yo a preguntar qué era eso de tirar unos calzones.
Menos mal que el frío no me dejó. Vi a Paco soltarse el
cinturón, echárselo al cuello y agacharse detrás de un
canchal[56]. Vaya por Dios. Con este viento, tener que hacer
eso. Por un instante, el canchal atrajo la atención colectiva,
y el cuatroele pasó a segundo término. Parecía que todos
esperaban la reaparición de Paco el alfarero, o que todos
estuviesen intrigados. Quizá sea algo más de lo que yo
supongo. Quizá el tirar los calzones encierre un misterioso
rito en ese canchal, a esa hora y con ese ventarrón. De
pronto, nos saca de la curiosidad un estrépito acompañado
de blasfemias. Juanjo, sin pararse a pensarlo más, ha
fustigado sus machos, que han dado un tirón enorme. El
coche sigue inmóvil, aligerado del parachoques posterior,
total para lo que servía, y el yugo de los machos se ha roto.
Han saltado las costillas[57]. Juanjo acarrea los machos con
palabras muy eficaces, tan duras que ni el viento puede con
ellas, y luego, con el yugo desarmado a sus pies, medita:

—Coño, ¡si se han roto las canciles[58] del lubio[59]!, ¡no te
jo...!

El tío Ugenio, el pastor, acude compasivo:

—Fíjese, también con ese coche. ¡Se ha quedado sin

---

[54] *fresnos:* árboles de tronco grueso. [55] *brama:* ruido producido por un
viento fuerte. [56] *canchal:* peñascal, sitio de grandes piedras descubiertas.
[57] *costillas:* objetos con forma de hueso largo y encorvado; en este caso, parte
del yugo. [58] *canciles:* costillas del yugo. [59] *lubio:* yugo.

lubio, que se le ha ido a hacer puñetas! ¡Pobre Juanjo! Juanjo, no tengas pena, que este señor te lo pagará. A ver, es muy justo, ha sido por sacar el coche de ahí, y no se olvide usted de que usted lo ha metido ahí, por salirse del camino... y el pobre Juanjo no va a andar sin lubio.

—Sí, sí, ya lo sé, como el del camión de harina, ladrillos, cemento, castañas...

—¡Eso! ¿Ves, Juanjo, cómo el señor te va a abonar para que compres un lubio nuevo?

La atención vuelve al canchal. Paco surge subiéndose los pantalones, con gran parsimonia. Se ve que allí, al abrigo de los pedruscos, no sopla el viento. Lo debe tener bien estudiado. Cruza el corralón del alfar, llega, nos reconoce, y, muy cumplido, eso sí, me pregunta por la mujer, por los hijos, por el señor aquel que aquella vez vino con usted, que se llevó aquella hucha y aquellas tazas, qué señor amable aquel, ¿eh?, ¿de dónde era?, parecía extranjero, americano a lo mejor... Pues, anda, que aquel otro que también trajo usted, que luego volvió con sus alumnas americanas, coño, aquellas fulanas no compraron ni una cabeza de alfiler, ¿eh?, caray con las niñas, y, anda que no revolvieron todo ni nada, tan entusiasmadas que parecían con los orinales, ¿eh?, venga a darles vueltas y a reírse, Oh!, Ah! Qué interesante... Pero qué tías, no haber visto nunca un orinal, mi madre, y luego dicen que si aquí estamos atrasados, hombre, no me diga, si lo sabré yo. Como se les ocurra volver... Pero...

Paco se acaba de dar cuenta, ya era hora, de que el auto está en malas condiciones. Algo pasa.

—Coño, ¡qué hacéis aquí vosotros! ¿No habéis visto nunca un auto o qué? Pues, anda. Pero, ¡si está metido hasta los corvejones [60]! ¿Es de usted? Sí, claro, ¡es el de usted! Pero, ¿cómo coño se ha metido usted por aquí? Si el camino va

---

[60] *corvejones:* articulaciones situadas en las extremidades posteriores de los animales.

por ahí arriba, hombre. Oye, lo mismito que el camión del
otro día, ¿no os acordáis?, el que iba lleno de carbonilla.
Pero, hombre, a quién se le ocurre, coño. Pues la ha hecho
usted buena. Ahora, para salir de ahí... Si yo llego a estar
aquí, usted no se hunde, porque yo voy y cojo unas gavillas
de jara, de esas del horno, ¿sabe usted?, y voy y las pongo
debajo de la rueda, y voy y les digo a estos: ¡Eh!, vosotros,
todos a una, y voy y digo: aaa... úpa. Porque, ¿qué puede
pesar esto? Así, a ojo, trescientos quilos, poco más o menos,
digo yo. Y trescientos quilos entre los que están aquí pues
que nada, a ver, coño, tortas y pan pintado[61]. Y yo voy y
digo... Pero lo que no me explico es que usted, que ya
conoce esto bien —porque, eh, vosotros, el señor es cliente
mío, para que veáis—, no siguiera por el camino, a ver,
como otras veces, coño, como otras veces...

   Paco, a todo esto, no saca las manos de los bolsillos.
Parece que hoy debe ser un día fatal para las manos fuera de
los bolsillos. En un rincón, Juanjo arrea hachazos a las
costillas del yugo, para afilarlas un poco y meter la punta
nueva por el agujero de la canga[62]. Los machos, sueltos,
mordisquean la hierba y van de aquí para allá, asustados
por los perros, que saltan, juguetones, junto a ellos. Es
entonces cuando veo venir por el camino que hace así, y
tuerce así, etc., es decir, el que no debimos dejar, una grúa,
con los chicos en la cabina. La grúa está nuevecita, parece
que va a ser su primer trabajo. Todos acuden a ella,
embobados, tan lustrosa está. Su propietario, que ha hecho
unas perritas en Suiza, de panadero, ha puesto ahora un
taller mecánico. Da mucho dinero, no sabe usted cómo
embisten contra los árboles esos grullos[63] de los seiscientos[64],

---

   [61] *tortas y pan pintado:* expresión que indica que una tarea no ofrece gran
dificultad para realizarse.   [62] *canga:* yunta.   [63] *grullos:* catetos, palurdos.
[64] *seiscientos:* modelo de automóvil fabricado en España desde 1956, y que
durante diecisiete años fue, por lo asequible de su precio, el preferido por
una buena parte de las familias de la época.

bueno, una bendición. En dos meses, fíjese, una grúa. Vamos
allá. Esto es coser y cantar. Y en seguidita. Estábamos por
casualidad en el bar del pueblo, tomando café. Cuando
llegó el chico. Y dijimos: Hay que ir a salvar a ese señor. Y
aquí estamos. A mandar. No faltaba más. Tú, Pancho, da
marcha atrás. Así. Un poquito más. No tanto, coño. Bueno,
a ver si vas a cargarte los faros del cuatroele. Ya está bien...

Y como está tan nuevo, el cabestrante[65] no funciona.
Juanjo, Paco el alfarero, el tío Eugenio, Salustiano, todos
dan sus ideas más o menos eficaces para hacer que aquello
dé vueltas. Que le aticen con una piedra gorda, que con un
martillo. Golpes, golpes, como en el teléfono. Y nada.
Aceite. Es que le falta grasa. Qué coño le va a faltar grasa, si
está nuevo. Échale un conjuro, como al pan, a ver si sube
solito. Yo, que no decía nada, aprovecho para estornudar a
gusto. Por fin, el chico hizo funcionar aquello como Dios
manda. Y: claro, así cualquiera. A ver, es estudiante, toma.
Las instrucciones de la grúa, que dormitaban en el cajonci-
llo, están en inglés. No, hombre, qué va, tienen un resumen
en español al final. Tú te callas, gilí, y habla cuando meen
las gallinas[66], que aquí nadie te ha dado vela. Bueno... Por
fin, sale el coche, despacito, hasta el camino. El camino que
va por ahí arriba, vuelve así, tuerce así, y llega aquí... Los
perros escoltan el coche dando ladridos, y el grupo comienza
a disolverse en sabidurías:

—¡Ya lo decía yo!

—¡Ha sido un trabajo muy limpio!

—¡Vaya grúa, qué tío!

—Oiga, el madrileño, ¿no me va a pagar el lubio?

—¿No decía usted que si la voluntad...?

—Si hubiesen hecho lo que yo decía, no habría tenido
que pagar a la grúa, que, anda, vaya tíos cobrando... Si

---

[65] *cabrestante:* torno empleado para mover grandes pesos.   [66] *cuando meen*
las gallinas: es decir, nunca, porque las aves no orinan.

echando una manita entre todos... Total, ¿qué pesará ese chisme? ¿Trescientos quilos? Nada, coño, eso no es nada.

* * *

Un instante después, en el cafetín del pueblo, mientras los jovencillos juegan en el futbolín a grito pelado, y la televisión retransmite un partido de baloncesto, y la camarera nos ofrece boletos para una rifa pro-asilo local, y un transistor sobre una mesa berrea una canción de Adamo [67], coreada por un grupo de muchachas que acaban de salir de misa, Paco el alfarero repite —ahora ya tiene las manos fuera de los bolsillos— las maniobras que él habría hecho para sacar el coche del cenagal [68]:

—Y, estará usted de acuerdo, todo el pueblo ha acudido a ayudarle, ¿eh? Coño, es que aquí, coño, a buena voluntad, ¿eh?, a buena voluntad, pues eso.

---

[67] Cantante melódico muy popular en la segunda mitad de los años sesenta («Tus manos en mi cintura», «En bandolera», «Mi gran noche»...).
[68] *cenagal:* lugar lleno de cieno o lodo.

JUAN BENET

Reichenau

(1972)

Años atrás le había dicho:

—Si desea usted algo no tiene más que llamar al timbre; yo acudiré en seguida.

No lo había dicho con esa carencia de tono de quien se halla habituado una y otra vez a la misma fórmula; sin duda no solo contaba con pocos clientes sino que quiso dar a la frase una intención que entonces no supo adivinar, ansioso por llegar a la cama y demasiado ocupado por la sensación de malestar que le produjo el sujeto.

Fue una noche en que se perdió en un cruce de carreteras, se adentró por una de montaña en lamentable estado y solamente al cabo de un par de horas pudo llegar a otra asfaltada donde aún existía un poste de fundición [1] de principios de siglo, cuyas indicaciones estaban tan borradas que no pudo descifrarlas al resplandor de los faros. Sin lograr orientarse en el mapa tomó al azar un sentido y al cabo de bastantes kilómetros dio con un pueblo desierto y

---

[1] *fundición:* fábrica en que se funden los metales.

apagado —una docena de casas de adobe [2] a ambos lados de
la carretera y un sola bombilla que se balanceaba en el aire·
colgada del cable, tan mortecina que ni siquiera llegaba a
iluminar la calzada—, de suerte que, a pesar del cansancio y
lo avanzado de la hora, no tuvo otra opción que seguir
adelante, en la dirección de una señal que decía: «A Región
23 km».[114] Así que cuando poco después, a la salida de una
fuerte curva, se topó con un caserón al pie de la carretera
con un melancólico luminoso que escuetamente decía «Camas» no lo pensó dos veces.

A la segunda llamada se iluminó y abrió una ventana de
la planta media y un sujeto —cuidándose de poner en
evidencia que había sido despertado y sacado de la cama—
le preguntó qué deseaba y de malos modos le ordenó, tras
acceder a acogerlo por aquella noche, que dejara el coche
detrás de la casa. Se demoró bastante en abrir la puerta y
todavía se abrochaba el cinturón por debajo de la chaqueta
del pijama cuando sin más preguntas y sin exigirle documentación alguna tomó del casillero una larga llave, con el

---

[2] *adobe:* masa de barro, mezclada a veces con paja, que se emplea en la
construcción de paredes.

(114) La Región ideada por Benet para sus novelas y cuentos
recuerda la creación personal del ficticio condado de Yoknapatawpha, inventado por el escritor norteamericano William Faulkner (1897-1962) como marco ambiental de sus inquietantes novelas. Como el Yoknapatawpha de Faulkner (autor al que tanto debe
la narrativa benetiana), Región es un mundo aparte, perdido en los
mapas, casi mítico. La literatura de la ruina practicada por Benet
queda enmarcada en un ámbito desolador, rodeado por una
perpetua bruma que impide vislumbrar un motivo de esperanza.
Solo el misterio, el recuerdo inútil, el vacío y la soledad parecen
tener cabida en la Región del narrador. En «Reichenau», el
protagonista no alcanza el corazón de la zona; se queda a unos
kilómetros de él, pero la atmósfera que rodea el lugar en que va a
descansar es la misma.

número 9 estampado en una chapa unida a ella mediante una anilla.[115]

El hostal era un edificio de construcción barata y anticuada, con un tufillo a humedad, amueblado para su menester con tanto rigor[3] y tanta economía que por doquier imperaba un manifiesto desprecio al detalle innecesario: las bombillas colgaban exentas de sus casquillos, las paredes no se ornamentaban con las estampas de los calendarios y en el dormitorio —además de la cama metálica, la mesilla de noche y un minúsculo lavabo sin agua corriente— no existía otro mueble que una silla con tablero de contrachapado[4]. En cuanto al dueño —pues era evidente que se trataba del dueño— no cabía señalar sino el escaso aprecio que parecía tener hacia su propia ocupación, como si en ella hubiera buscado refugio más por seguridad que por otra razón, a fin de poner a resguardo unos pocos dineros ganados quién sabe dónde y de qué manera.[116] Al tiempo que le dejó pasar, haciéndole entrega de la llave, le dijo señalando a la pera[5] que colgaba sobre la cabecera de la cama:

---

[3] *rigor:* austeridad, severidad.   [4] *contrachapado:* conjunto de varias capas finas de madera, encoladas entre sí.   [5] *pera:* interruptor de luz, con forma semejante a la de la fruta del mismo nombre.

(**115**) La morosidad de las descripciones de Benet (exhaustivas, precisas) retarda la acción, inmersa esta en un mundo donde diríase que el tiempo no transcurre, o lo hace tan lentamente que termina perdiendo su condición de punto de referencia para el hombre. Anulado el decurso cronológico, lo que haga o deje de hacer aquel carece ya de importancia, por asignificativo: nada en Región tiene un sentido preciso.

(**116**) Ni siquiera el dueño del negocio siente el menor interés por lo que sucede a su alrededor. Todo ocurre porque ha de ocurrir, no porque haya algo o alguien que lo justifique, y lo que acontece es aceptado como podría ser admitido lo contrario. En Región no hay futuro; solo un presente vinculado a un pasado que no se le explica al lector.

—Si desea usted algo no tiene más que llamar. Yo acudiré al momento.

Se durmió en seguida, con el pensamiento puesto en abreviar cuanto le fuera posible aquella noche teresiana [6], pero pronto se había de despertar sudando, agobiado por el peso de las mantas. Empezó por revolverse en la cama, incapaz de desentenderse de su intenso olorcillo a pobreza, hasta que le llegó el eco de las voces, el cuchicheo de dos o tres personas más allá de paredes y corredores vacíos, más allá de una cocina desierta y un obrador [7] en orden, palabras amagadas [8] y risas contenidas que parecían corresponder a la conversación de unas sirvientas cuyas voces no debían alcanzar el ámbito de los señores. [(117)]

Insomne e inquieto encendió la luz y entonces cesaron las voces. Vino a suponer que el resplandor de su ventana en la carretera había servido de advertencia a los imprudentes charlatanes y, con el ánimo más tranquilo, volvió a apagar la luz aunque recelara ya de poder sublimar [9] su descanso en el sueño. Pronto habían de volver, más cercanas y zumbantes,

---

[6] *noche teresiana:* alusión a la falta de comodidades que Santa Teresa de Jesús impuso como norma para los integrantes de la orden religiosa de los carmelitas, reformada por ella. [7] *obrador:* taller de obras manuales. [8] *amagadas:* apenas pronunciadas, susurradas. [9] *sublimar:* en Física, hacer pasar directamente del estado sólido al gaseoso; aquí, la palabra se emplea en sentido figurado.

---

(117) Los períodos sintácticos construidos por Benet son infrecuentemente extensos, como dando cuenta de un tiempo interminable. Abundan las interpolaciones (paréntesis, digresiones) que distraen del discurso narrativo, organizado de esta forma en una exposición laberíntica (donde es fácil que el lector no avisado se desoriente) que, en definitiva, carece de principio y término. El porqué y el para qué no tienen sentido en Región: solo es posible escribir la literatura del cómo (presupuesto formalista muy lejano de los planteamientos finalistas defendidos por el socialrealismo).

sonidos silbantes y prolongados y consonantes repetidas a
punto en cada momento de cristalizar en una palabra
inteligible que desaparecía en el aire como una pompa de
jabón, que le fueron envolviendo con su inverosímil aproximación, con la intensidad que contradecía la lejanía, con la
sospecha de que iban dirigidas a él precisamente porque
nunca sería capaz de comprenderlas. No, no procedían de
un lugar determinado, no eran pronunciadas en parte
alguna porque se trataba de un espacio sonoro definido
—más allá de los muebles y las paredes de su habitación—
por la cadena de susurros y risas femeninas —mujeres de
edad, que se confiaban secretos malignos, que se fundían y
separaban en un torbellino de gestos y movimientos aborta-
dos y esfumados en el mismo momento de aparecer en el
argentino [10] reverbero [11] de la oscuridad— no traídos por el
éter [12] sino conjugados con el único continuo de las tinieblas
e inseparables de ellas.

Encendió de nuevo la lámpara pero por poco tiempo. La
bombilla se fundió, tras un chasquido que fue la señal para
que las mujeres iniciaran de nuevo su fiesta, alborozadas por
su victoria sobre la luz y dispuestas a aprovechar la impuni-
dad de que se habían hecho acreedoras. [118]

Se levantó sudando, pero como hacía frío en la habitación volvió a la cama. Escondió la cabeza bajo las mantas
y... en efecto, se diría que su conversación se hizo más
recogida, como si se desarrollara también en un muy

---

[10] *argentino:* de brillo plateado.   [11] *reverbero:* reflejo.   [12] *éter:* fluido invisible que, según cierta hipótesis, llena todo el espacio y transmite la luz y
otras formas de energía.

~~~~~~

(118) A la desolación y la ruina se suma el desasosiego del
misterio. La atmósfera de Región es en sí misma un misterio, puesto
que a su explicación no puede accederse por la vía de las
interpretaciones racionalistas.

próximo y a la vez remoto rincón bajo las sábanas. Sacó la cabeza de entre las mantas para, a tientas, buscar la pera del timbre que colgaba sobre su cabeza, y cuando la encontró no pudo llamar. Más bien le contuvo la aprensión de tener que recurrir al dueño del hotel, el recuerdo de una mueca de suficiencia, la cabeza de cartón-piedra. Agarró la pera con ambas manos e incluso se la llevó a la boca, azuzado por la fiebre, acariciando el botón con la lengua sin poder contener ni las lágrimas ni la orina ante el intolerable crescendo [13] de las voces que solamente remitieron con una amanecida [14] que le había de sorprender cubierto de sudor, jadeante y exhausto, con la cabeza apoyada en los barrotes del testero [15] y la mirada idiotizada, casi colgado con ambas manos del cordón eléctrico del timbre, orgulloso empero [16] de haber sobrellevado la noche sin recurrir a la ayuda que le había sido ofrecida.[(119)]

Cuando abonó la cuenta —una cuenta irrisoria— a la mañana siguiente, no cruzó una palabra de más con el dueño del hotel; acaso una sensación de confianza se había enseñoreado de un ánimo aherrojado [17] en aquellas fechas por toda clase de dificultades pero capaz de pasar por encima de la oblicua mirada del dueño del hotel que, sin duda —añadiendo el despecho a guisa de interés—, quiso significarle que bien podía haberse ahorrado tal trance con solo haber apretado el timbre; que no era un reproche ni una advertencia, sino la exposición de un estado de cuentas;

---

[13] *crescendo:* aumento de la magnitud sonora.   [14] *amanecida:* amanecer.   [15] *testero:* plancha colocada en la chimenea para resguardarla.   [16] *empero:* sin embargo.   [17] *aherrojado:* oprimido.

(**119**) Este timbre no tocado es el eje estructural del relato. Pero ni siquiera para este nudo constructivo se va a proponer una justificación lógica.

que no se llamara a engaño porque el trance que había
sufrido no era más que la sanción al rechazo de su oferta; y
que en circunstancias análogas otra vez lo pensara mejor
porque bien podía ahorrárselo con solo apretar el timbre.
Que bien claro se lo había dicho la noche anterior.[120]

* * *

Fueron los primeros tiempos de una profesión dura,
difícil y solitaria, empeñado en vender en tierras ingratas
artículos que en aquellos tiempos no eran de primera
necesidad.[121] Pero a fuerza de confianza y perseverancia
pronto había de alcanzar la independencia profesional, el
bienestar económico, la representación de productos extranjeros, transformado en un hombre de negocios y en un
inveterado [18] fumador que una vez al año se veía obligado a
hacer una prolongada cura de reposo. Pero ya estaban lejos
aquellos primeros tiempos en que, con una pequeña furgo-

---

[18] *inveterado:* de hábito arraigado.

(**120**) Sucesión de frases en estilo indirecto que vienen a ser
obsesivas (todo en «Reichenau» es obsesivo) variaciones sobre el
mismo tema: el timbre que el forastero debía haber tocado. ¿Por
qué? Eso nunca llegará a aclararse.

(**121**) Otra muestra de la arquitectura laberíntica del cuento.
Solo mediado este llegamos a conocer la profesión del forastero y,
en consecuencia, las razones por las que se había internado en
Región. En este momento el lector se siente sin duda impulsado a
sospechar que las explicaciones que se le hurtaron en la primera
parte de la narración se le van a ofrecer ahora. Está en un error: la
aclaración sobre el oficio del protagonista no es sino un intento más
de distracción dentro del laberinto constructivo.

neta cargada de artículos innecesarios, llegó una noche a un hotel de carretera —en el corazón de un desierto nocturno— que de no haber sido olvidado constituiría el peor momento de aquellos años difíciles. Y si lo recordaba era como el obligado preámbulo a la presente prosperidad.

El picor en la garganta y la opresión en los pulmones lo despertaron una vez más, bien entrada la noche pero en circunstancias muy distintas. Era una noche plateada, no lejos del lago de Constanza [19], acompasada por un cierto rumor que parecía esconderse tras aquel otro sereno y solemne de los abetos y las tímidas palmadas de las hojas de tilos [20] y alerces [21], como si aplaudieran —por cortesía, no con entusiasmo— los despropósitos e insensateces de un oculto animador nocturno inasequible a los sentidos del hombre. Pero entre ellos —por entre la repleta tribuna de la orilla que descendía hacia el lago— se ocultaban las risas femeninas, más altas, perceptibles, sonoras y nerviosas en cuanto caía el viento y la fronda [22] cesaba de palmear, atenta a la próxima ocurrencia. [122]

Cerró la ventana y en un instante la habitación quedó invadida del tumultuoso susurro sin espacio ni procedencia de las mujeres de edad, de sus risas por momentos menos contenidas y más próximas, a punto de materializarse en las manos y los gestos dirigidos hacia él, en los guiños y las

---

[19] Lago situado entre Alemania y Suiza y atravesado por el Rin.   [20] *tilos:* árboles de la familia de las tiliáceas, de considerable altura y tronco recto.   [21] *alerces:* árboles de la familia de las abietáceas, que comparten con los anteriormente citados las características señaladas.   [22] *fronda:* espesura formada por un conjunto de ramas y hojas.

(**122**) A muchos miles de kilómetros, la opresiva historia se va a repetir. Ya no basta la posible explicación de la geografía: Región está en cualquier parte y en cualquier tiempo, en todo lugar y en toda época.

miradas que, borrando las espúreas [23] sombras del mobilia-
rio, surgieron en la abyecta [24] desnudez desprovista incluso
de tinieblas en que habían de fundirse antes, un instante
antes, de encender la luz y llamar a la camarera.

Y entonces comprendió que ya no tenía el valor de
antaño, que había sucumbido. Y al recordarlo comprendió
que desde aquella remota y anacrónica Región, muchos
años atrás, hasta el actual Reichenau [25], en Württemberg [26],
no lejos del lago Constanza (como le había advertido con la
mirada) le había estado siguiendo y esperando; que le había
estado observando desde que se separaran y que había
adquirido la certeza de que en las nuevas circunstancias ya
no sabría atenerse a su confianza, sino que —por el contrario— sucumbiría a la ayuda prometida por el timbre.
Porque al instante reconoció sus pasos sobre la moqueta del
pasillo y supo que no tendría ninguna dificultad en abrir la
puerta; que aquel que no en vano le había advertido en su
día que no vacilara en llamarle si necesitaba ayuda, se
tomaba ahora su revancha con la jactancia [27] acumulada
tras tantos años de desdeñoso olvido, porque no prescribían [28] las condiciones entonces establecidas. No se movió de
la cama. Sentado sobre la almohada, retrocediendo y apre-
tando la espalda contra la pared, pudo reconocer su mano y
la figura de cartón-piedra por la lenta manera con que hizo
girar el picaporte.[(123)]

---

[23] *espúreas:* falsas; forma incorrecta (y, pese a ello, más divulgada) que en
muchos hablantes y escritores sustituye a la ortodoxa, *espurias.* [24] *abyecta:*
despreciable, extremadamente vil. [25] Isla situada en el lago de Constanza.
[26] Región del sudeste de Alemania. [27] *jactancia:* presunción, vanagloria.
[28] *prescribían:* se extinguían por el paso de cierto espacio de tiempo.

(**123**) El hombre ha perdido la batalla. La tentación a la que
supo resistirse años atrás ha terminado venciendo, sin que tampoco
lleguemos a saber por qué. Muchas preguntas (todas, en realidad)

quedan sin respuesta al final de este desasosegador cuento: ¿quién es esa figura que persigue al personaje, y qué representa?; ¿qué ha ocurrido para que el protagonista no haya sido capaz de superar sus temores?; ¿qué pasará una vez que se abra la puerta? El paso del tiempo, la dramática soledad sin remedio, el miedo al vacío, ¿la llamada de la muerte tal vez? Región solo admite preguntas; no cabe esperar respuestas, quizá porque la existencia humana abunda en las primeras y es pobre en provisiones de las segundas.

JORGE FERRER-VIDAL

Mozart, K. 124,
para flauta y orquesta

(1978)

Cuando en los veranos nos escribíamos, Carmen,[124] decías en tus cartas, en todas ellas, sin falta, como si fuese algo tan esencial y rutinario como fecharlas: *tienes letra de niña, tan esmeradita y tan pulida que resulta difícil identificar, Jorge, tu corazón tras ella.*

Y me parecía oír tus carcajadas, abiertas y que te brotaban del corazón, porque reías con el corazón y entonces te recordaba: cabello rojizo, esbeltez, rostro ovalado, ojos azules y los dientes graciosamente irregulares, y deseaba que concluyesen las vacaciones para volver a las aulas universitarias, Carmen, a corretear de clase en clase sin enterarnos

---

(124) La Teoría de la Novela diferencia el destinatario interno del externo. En este texto, el primero (denominado *narratario*) es el personaje concreto a quien el emisor se dirige (es decir, Carmen); el segundo, el lector del cuento.

de lo que decían los no numerarios [1], porque, a los otros, a los catedráticos y aun a los adjuntos [2], ni verlos, y hacíamos verdad lo que decía el profesor de Prehistoria: una clase universitaria consiste en un señor que, en voz alta, impide oír lo que cincuenta alumnos hablan entre sí, en voz baja.

Lo mejor comenzaba con las tardes de finales de marzo, ya más largas y lentas, con arreboles [3] de timidez en el cielo y con nimbos blancos que anticipaban el arribo de la primavera... Y lo bueno perduraba ya hasta el final del curso, a través de abril y de mayo, cada vez los días más tibios, incluso calurosos.

Era entonces, Carmen, cuando nos saltábamos la clase de Sociología, de cinco a seis de la tarde, y salíamos a tumbarnos sobre los céspedes recién resucitados del letargo invernal que cubrían el *campus* [4] entre la Facultad de Derecho y la nuestra,[(125)] y extraíamos, tú del bolso, yo de la cartera, nuestras flautas y de espaldas, tendidos sobre el bendito suelo, interpretábamos fragmentos del Concierto para flauta y orquesta, K. 124, de Mozart, solo que a dos

---

[1] *no numerarios:* profesores que desempeñaban sus tareas docentes en la universidad estando vinculados a ella por un contrato temporal (los popularmente denominados *penenes*). [2] *adjuntos:* profesores de universidad con categoría inferior a la de los catedráticos y superior a la de los no numerarios. [3] *arreboles:* nubes enrojecidas por el sol. [4] *campus:* recinto universitario.

(125) La reflexión sobre la soledad en que viene a convertirse este cuento es la correspondencia, en el orden de lo metafísico, de una realidad cotidiana: el abandono del ser al que se ama. En el recuerdo del protagonista permanecen fijos, en toda su exactitud, los detalles concretos, efectivamente reales y pertenecientes a ámbitos precisos: entre las Facultades de Derecho y Letras de la Universidad Complutense de Madrid existe un amplio y ameno espacio; la Avenida Complutense, a la que se alude posteriormente, une la plaza de la Moncloa con las diferentes Facultades...

flautas y sin orquesta.[126] Un día, te hice notar ese extremo, te dije:

—Carmen, y la orquesta, ¿qué? Porque el concierto fue concebido con acompañamiento y a lo mejor así no le gustaría al bueno de Wolfgang.

Y tú, tus ojos tiñéndose del propio azul del cielo, tú:

—La orquesta es esto —y dibujabas un amplio círculo con la mano, abarcándolo todo—, la orquesta es la tarde, el cielo azul y el mundo, tú y yo, la orquesta es Dios.[127]

Y, en efecto, nos parecía ciertamente que el gran orquestador de nuestras vidas era el buen Dios, porque todo a nuestro alrededor trascendía buenandanza [5], hasta el punto de que tú decías a menudo, Carmen, mientras caminábamos por la Avenida Complutense, cogidos de las manos, que lo nuestro era inmoral e injusto y que no debería caber tanta felicidad y tanto egoísmo en un mundo en el que privaba el hambre, la injusticia, el desamor total, y yo que sí, pero la verdad era que entonces no consideraba a los hambrientos

---

[5] *buenandanza:* felicidad.

(**126**) La sinfonía n.º 15 en sol mayor fue escrita por el músico austríaco Wolfgang Amadeus Mozart (1756-1791) a principios de 1772. Pese a su juventud en el momento de componer esta obra —registrada con el número 124 en el catálogo del musicólogo L. A. F. von Koechel (de cuyo apellido deriva la K antepuesta a cada título mozartiano)—, el genial autor muestra en ella una notable apertura de ideas hacia el futuro.

(**127**) La inquietud religiosa ha sido una constante en las obras de Ferrer-Vidal, y ello ya desde su primera novela, *El trapecio de Dios* (1954), próxima a una fórmula personal de existencialismo católico que habría de mostrarse dominante en su producción. La cotidianidad, en sus cuentos, no queda aislada en sí misma, sino que se integra, de una manera más cercana a la angustia que al conformismo, en un universo metafísico en que la soledad del ser humano se superpone a la esperanza.

como los considero ahora y los tengo presentes, ya perdido para ti y para mí mismo, solo capaz de hallarme y de identificarme en el prójimo.[128]

Hoy, Carmen, día 16 de mayo de 1974, miércoles, me he sentido incómodo en casa. Ha sido un día malo, casi aciago, y he tenido una discusión larga con el editor porque me exige directrices conformistas, burguesas, que no comprendo y, en consecuencia, sobre las que no puedo escribir ni una palabra y porque el periódico local ha publicado una crítica no demasiado favorable de mi novela última y, de pronto, me ha dado la ventolera de recordarte, de preguntarme qué habría sido de ti, si te casaste o no, al fin, con Fernando, y de que solamente podría sacudirme el torpe embotamiento[6] de hoy, día de primavera ya declarada, como los de hace diez años, volviendo, al igual que Raskolnikov[7], al lugar de los hechos, y he comenzado a revolver entre los cajones de mi armario hasta encontrar un jersey de cuello alto y un pantalón vaquero que hacía tiempo y tiempo que no me

---

[6] *embotamiento:* debilitamiento.   [7] Protagonista de la novela del escritor ruso Fedor M. Dostoievsky *Crimen y castigo* (1866); abrumado por el sentimiento de culpabilidad, Raskolnikov regresa al lugar en que había perpetrado el asesinato de la anciana.

[128] La discrepancia entre las ilusiones propias del estado de felicidad y el desencanto desde el que recuerda sus vivencias Jorge tiene una equivalencia sociológica. Los sesenta (época en que se enmarcan los sucesos evocados por el protagonista) fueron años de utopías esperanzadas: la felicidad era posible, y bastaba luchar por ella. La crisis moral y económica de los años setenta (desde los cuales se produce la rememoración) cambió sustancialmente el decorado: las ilusiones irrazonadas de mayo del 68 habían chocado frontalmente con la realidad, y aquellos rebeldes veinteañeros que combatían por lo imposible eran ya defraudados hombres maduros cuyos ideales pasados apenas eran (1974, por ejemplo) ecos de nostalgia.

había puesto y que me van estrechos, porque he engordado, Carmen, y así vestido, disfrazado, he salido de casa, he tomado el coche y aquí estoy, aquí me tienes, recordándote, bajo un cielo inmisericorde e inmovilista, arrebolado aún en timideces y abundante en pequeños nimbos ovejiles, blancos. [129]

El césped entre la Facultad de Derecho y la nuestra ya está crecido y verde y grupos de estudiantes, como tú y yo hace diez años, se tumban con dejadez de miembros sobre la hierba, aunque miro y observo, no descubro a ninguna pareja que, en dúo de flauta, interprete a Mozart, con acompañamiento de Dios-orquesta.

Carmen, recuérdalo y acepta la realidad, convén en que hice por ti lo inusitado, la locura. Aquel sábado, tú tenías que salir con Fernando y yo, en protesta, porque no imaginaba la Facultad sin ti, busqué una excusa y acudimos los dos, recuerda, Carmen, a ver a don Ginés Amillo, que había convocado examen para aquel día de su asignatura, Paleografía [8], de la que tú nunca tuviste la menor idea, incapaz que eras de leer algo que no fuese nítido y claro como la letra femenil de mis cartas, y encontramos a don Ginés en el Seminario.

---

[8] *paleografía:* arte de leer la escritura de documentos antiguos.

(**129**) Los pantalones vaqueros y el jersey de cuello alto fueron, en aquellos años sesenta, el atuendo *oficial* de la juventud masculina (la femenina acostumbraba a sustituir la primera prenda por una informal minifalda que el movimiento *hippy* desecharía para adoptar la falda hasta los tobillos). Jorge recupera en el recuerdo aquellos días del pasado con la ropa de entonces. Hasta la naturaleza contribuye a fomentar el cambio de tiempo: el cielo («inmovilista») de hoy parece el mismo de entonces, y se puede contemplar desde el mismo lugar desde el que diez años atrás era posible verlo.

—Doctor Amillo, ni la señorita Romera ni yo podemos acudir al examen del sábado, por compromisos previos.

Y lo conseguimos. Logramos que don Ginés nos examinase un miércoles, 16 de mayo, a las cuatro de la tarde, en el Seminario, cuarto piso, aula 401, edificio A, y el miércoles comimos de bocadillo y con cerveza sobre el verdor de la hierba y su frescura, y después nos echamos de espaldas y tocamos la flauta, hasta que el bochorno de la primera tarde nos adormiló, los dos tendidos sobre el césped, nuestras frentes tocándose, solo las frentes, entendámonos, porque entre tú y yo todo resultaba limpio y traslúcido, orquestado por Dios.

Carmen, ahora vuelvo a estar aquí, ante la misma pradera, ante el mismo césped y a través de la ventanilla abierta de mi coche, detenido frente a la Facultad, ante la acera de Derecho, contemplo los ventanales, amplios, abiertos de par en par, del Seminario 401, Paleografía, y me pregunto si estará examinándose con don Ginés alguna pareja, tal y como lo hicimos tú y yo, y lo dudo. Como tú y yo, nada, nadie jamás. Porque recuérdalo, Carmen, lo que yo hice por ti en los escasos segundos en que don Ginés salió del aula para pedir al bedel que le subiese un refresco del bar, tanto era el calor, no lo repite nadie. Lo hice porque hasta tu flaca voluntad me enamoraba y porque estaba convencido de que, de otro modo, nunca lograrías acabar la carrera, puesto que eso de andar leyendo letra carolina [9] en latín o cortesana [10] y procesal [11] en castellano antiguo, te resultaba insuperable, meta imposible de alcanzar con tu

---

[9] *carolina:* letra minúscula, aparecida a fines del siglo VIII, cuyo uso alternó en España con el de la letra visigótica hasta la implantación, en el siglo XIII, de la gótica. [10] *cortesana:* letra pequeña y adornada que se utilizó hasta mediados del siglo XVI. [11] *procesal:* letra encadenada y enredada que se usó en los siglos XVI y XVII y que nació como degeneración de la cortesana.

limitada vocación histórica y tu latín, prácticamente inexistente, nulo.

Estamos de acuerdo en que el examen presentaba sus dificultades y sus problemas, en que el escriba [12] que emborronó el original del siglo XIV debió ser un bujarrón [13] de toma y daca, un tipo de vergonzosa índole, de acuerdo, pero no hasta el extremo de no llegar a transcribir ni descifrar una sola palabra, Carmen. Es que ni la frase introductoria, formularia y común a todos los escritos de la época y de épocas anteriores que también se daba en los documentos y diplomas carolinos [14], dedujiste, calamidad que eras, caso perdido: «*In nomine Domini nostri Iesu Christi, amen. Ego Aedefonsus, rex Castiella, Legionis, Galleçia...*» [15], ni eso, Carmen.

Y cuando salió, repito, don Ginés, diciendo:

—Voy a pedir al bedel que me suba un refresco, hace calor. ¿Les apetece a ustedes tomar algo?

Y nosotros meneamos negativamente la cabeza:

—Gracias, don Ginés, nada.

Y él:

—Confío en su seriedad, no intercambien ni una sola palabra mientras esté ausente.

Obedecimos. No intercambiamos ni una sola palabra, pero sí los papeles del examen y tú te quedaste con mi transcripción completa y yo con la tuya, es decir, yo con un folio de papel en blanco y sin tiempo para transcribir apenas media docena de palabras de tu original, porque don Ginés regresó a los pocos minutos y nos dijo:

—Vayan firmando.

Y firmamos. Estamos de acuerdo, no te reprocho nada y menos aún a estas alturas, después de diez años, fíjate tú,

---

[12] *escriba:* copista.   [13] *bujarrón:* homosexual.   [14] *carolinos:* propios del reinado del emperador Carlos V.   [15] Traducción: «En el nombre de Nuestro Señor Jesucristo, amén. Yo, Alfonso, rey de Castilla, León, Galicia...»

Carmen, cómo iba a decirte nada, si, además, fue mía la iniciativa, prevaliéndome [16] de mi letra de niña, tan esmeradita y tan pulida que don Ginés tragó el anzuelo —¿quién no lo hubiera hecho?—, y concluiste así la carrera, Carmen, mientras yo tuve que esperar hasta septiembre.

Lo que sí te reprocho es que tomases el hecho como cosa natural, como algo que así tuviese que ser y que ni siquiera te prestases a una demostración sincera de gratitud, aparte de, al salir del examen, un lacónico:

—Gracias. Ahora podré pasar el verano tranquila, sin tener que estudiar una palabra, en la Costa Brava, fíjate, Jorge, sin nada que estudiar, por primera vez en mi vida.

A mí se me detuvo el corazón cuando por Amalia, tu íntima, me enteré de que Fernando veraneaba en Tossa de Mar (Gerona).

Lo que había comenzado tres cursos antes, nuestros conciertos de flauta, concluyó allí, el miércoles, día 16 de mayo de 1964, hoy hace exactamente diez años, en que nos examinamos de Paleografía, y desde entonces, Carmen, ni verte ni la menor noticia de ti, si estás viva o has muerto, si te has casado o no, ni dónde paras, y me siento mal en el interior del coche y no me atrevo siquiera a conducir para volver a casa, no vaya a descalabrarme, y abro la portezuela y desciendo de mi Austin, 1300, Countryman, blanco, de matrícula de Soria, SO-13467, y avanzo por la tupida y verde pradera y me siento bajo un árbol, me apoyo de espaldas en el tronco, saco mi flauta del bolsillo trasero del pantalón, incómodo, que cruje de costuras, y comienzo el primer tiempo del K. 124, para flauta y orquesta, de Mozart, y al oír la melodía una pareja que yace amartelada [17] sobre el césped, levanta la cabeza, ella, cabello rojizo,

---

[16] *prevaliéndome:* sirviéndome. [17] *amartelada:* que muestra sentirse enamorada.

esbeltez, rostro ovalado, ojos azules y dientes graciosamente irregulares, me miran y sonríen.[130]

Y yo sigo tocando en la esperanza de que, en algún lugar del mundo, sea donde sea, en lo más remoto imaginable, otra flauta me marque la segunda [18], y que la tarde, lenta y larga, como moribunda por excesos de calmas y languideces, con rosáceos nimbos y estratos como amapolas gigantes hacia poniente, orquesten mi solo de flautín. Pero por mucho que intento imaginarlo, ni tu instrumento suena ya a mi lado ni responde a mi llamada el Dios-orquesta. «Carmen —me pregunto—, ¿qué habrá sido de ti?, ¿por qué Dios no responde...?»[131]

---

[18] *segunda:* adjetivo que en Música designa un segundo instrumento o una segunda parte de una pieza.

[130] La descripción que Jorge hace de la joven a la que contempla en 1974 es la misma que corresponde a la Carmen de diez años atrás.

[131] La soledad existencial de Jorge es inseparable de la pregunta final, alusiva al silencio de Dios y el desamparo en que parece encontrarse un ser humano arrojado a un universo que no responde a sus preguntas. Pero la desolación del personaje asume una representación generacional: la del ocaso de las ingenuas utopías de la década de los sesenta. La corbata y el traje a medida reemplazaron a los vaqueros y el pelo largo; el apoltronamiento en el poder sustituyó a la lucha política desde *la base;* la conformidad con las realidades de la vida ocupó el lugar de los ideales; la preocupación por el presente tomó el puesto de la inquietud por el futuro. Entonces luchaban *contra* (el sistema); hoy (paradojas de la Historia), ellos *son* el sistema.

Documentos y juicios críticos

A) TEXTOS COMPLEMENTARIOS DE LOS AUTORES

1. Camilo José Cela

El escritor gallego aceptó de buen grado (aun admitiendo la imprecisión del concepto) la paternidad del fenómeno tremendista, a cuyo carro triunfal (tras La familia de Pascual Duarte*) se izaron no pocos imitadores. El texto que sigue ha de interpretarse con todas las precauciones que aconseja tomar el hecho de que su autor, a fin de cuentas, es persona directamente implicada en la consideración del elemento enjuiciado. Así, algunas de las afirmaciones en él realizadas (considerar la literatura como reflejo de la vida, y no como sublimación estética de la misma; valorar el propio tremendismo como un ejercicio literario de sinceridad, y no como una deformación ficticia de la realidad) pueden ser cuestionadas críticamente, pero en todo caso, por proceder del padrino (más que padre) del tremendismo, merecen analizarse con interés:*

Esta rara cosa que venimos llamando la literatura tiene, como todas las cosas raras y amables, sus fieras tiranías contra las que no vale luchar. Si la literatura es, como parece ser, el reflejo de la vida, no debe culparse al honesto escritor que trata, casi siempre suspirador como un agonizante, de levantar acta de lo que ve, del hecho doloroso y amargo que le es dado contemplar sin más que descorrer los visillos de su ventana.

El tremendismo sólo existe en función de que la vida es tremenda, aunque quizá fuere mejor que la vida se deslizase plácida como el navegar del cisne en la laguna. Piénsese que resultaría paradójico y traidor el pintar al Dómine Cabra con los colores de Fra Angélico [1].

Uno de los argumentos más sólidos de los detractores del tremendismo es el de que la vida no es *tan solo* tremenda. Efectivamente, la vida, amén de tremenda, es otras muchas cosas más: es dulce a ratos, es amorosa de cuando en cuando, es grata para algunos, es gloriosa para los elegidos, triunfal para los aprovechados y próspera para los pescadores en río revuelto. Lo que sucede no es más sino que la tremenda realidad del hambre y del oprobio, el inexorable y fatal momento de la muerte y ese negro vencejo de la duda que anida en todos los corazones son el único denominador común que a las vidas puede encontrarse y señalarse.

El tremendismo, en buena ley, para dar paso a la dulzura y al amor, y a lo que es grato, y glorioso, y triunfal, y próspero, echa mano, y moriría de asfixia si no lo hiciera, de las delicadas y casi imperceptibles sales de la ternura, esa gran conquista de los humildes y de los dolorosos.

Dosificar la ternura y no cegarse ni disimular ante la barbarie es la más noble función del escritor, del notarial y solemne cronista del tiempo que nos ha tocado vivir. Lo contrario es inmoral, rigurosamente inmoral. No se puede, ni se debe, ser cómplice o encubridor del pecado. El tremendismo, para no salirse de su ortodoxia, debe marcar los cuatro puntos de su rosa de los vientos con las siluetas de la sinceridad, de la verdad, de la lealtad y de la claridad. Vientecillos intermedios de esta brújula literaria —los NE y SW del caso— podrían ser la caridad, la ternura, la no delectación morosa en las circunstancias y en los momentos sobre los que conviene pasar de puntillas, y el valor personal.

Una obra tremendista —alguien, quizá, pudiera aclarar si esta contrahecha palabreja es algo más que imprecisa y estúpida— que no quiera caer en el cisma ha de retratar el mundo con una cruel y descarnada sinceridad; ha de contar siempre toda la verdad; jamás podrá ser desleal a su calendario y a su geografía; ha de ser clara como el aire de las montañas, caritativa como los bienaventurados

---

[1] El licenciado Cabra es un personaje, en verdad siniestro, del *Buscón* de Quevedo (1580-1645). El pintor italiano Fray Juan Angélico da Fiésole (1387-1455) se distinguió por el suave colorido de sus obras.

que sufren en silencio, tierna como una loba amamantando a un niño, honesta sin tabús ni juegos de palabras, y valerosa y arrojada como un héroe adolescente y enloquecido.

«Sobre los tremendismos», *La rueda de los ocios*, Madrid, Alfaguara, 1972, 3.ª ed., pp. 20-21.

2. Tomás Borrás

*En su cuento «Novela francesa» (*Buenhumorismo, *1945), Borrás, sobre la base de una construcción integrada únicamente por una sucesión de cartas de lectores al autor de una novela con cuyas ediciones reformadas (hasta siete) se muestran disconformes, planteaba la necesidad de novelar la vida real, y no las anormalidades (presupuesto indirectamente antitremendista). Harto de cambiar unos finales que no satisfacían nunca a sus lectores, el autor de la novela en cuestión terminaba anunciando la publicación de un relato «muy original», tan original que los miembros del clásico triángulo amoroso, «ella, él y otro, ¡van a ser personas decentes!». Ese fondo moralista (penetrado por un intenso sentimiento religioso que da razón de ser de la existencia de muchos de los cuentos de Borrás) es, de algún modo, el perceptible en este esbozo autorretratístico:*

La verdad es la del amor. El yo físico, el yo intelectual se irán en pavesas al «nihil» [1] que les espera; todos los Tomás Borrás han de aniquilarse. Todos menos ese que se plasme al calor de los corazones que conocen por instinto la autenticidad última, que saben, por la magia de la atracción indefinible, que se es... como los ojos favorables de la sensibilidad ven lo que con ella conjuga. Esa es la razón de Dios al juzgarnos, y su reflejo humano el poder ser así, como los que nos quieren nos hacen en ellos que seamos...

«Un hombre y sus sumandos», *La cajita de asombros*, Madrid, Dánae, 1946, p. 19.

---

[1] *el nihil:* traducido del latín, la nada.

3. Ignacio Aldecoa

La prematura muerte de Aldecoa nos privó, probablemente, de una sistematización teórica del hecho narrativo, sistematización que, no obstante, es posible esbozar a partir de opiniones aisladas, que nos aproximan al pensamiento existencial y social del creador:

Yo he visto y veo continuamente cómo es la pobre gente de toda España. No adopto una actitud sentimental ni tendenciosa.

El creador auténtico está solo, total y definitivamente solo, es animal de fondo al que no lleva la corriente. Y esa es su grandeza y su aventura.

Un mundo amargo no tiene por qué ser opresivo. Un mundo puede ser dulce y opresivo o amargo y libre. La fatalidad gravita sobre el hombre y el hombre es libre para aceptarla o no aceptarla; de aquí su agonismo [1].

Soy por naturaleza nihilista [2], pero creo en el futuro, aunque no resuelva nada.

Me atengo a la economía verbal, asedio la exactitud y deseo la expresividad. Fundamentalmente, lo que me interesa del idioma es su expresividad.

Para ser novelista no es necesario, como para ser torero, comenzar toreando becerros, luego erales [3], más tarde novillos y por fin toros. El cuento y la novela son del mismo género, pero de distinta especie. Un gran narrador de relatos cortos puede ser un mediocre novelista y viceversa. El cuento tiene ritmos y urdimbre muy especiales, lo mismo que la novela. De aquí que el cuento no sea un paso hacia más grandes empresas, sino una gran empresa en sí.

«Introducción», *Cuentos* (ed. de Josefina Rodríguez de Aldecoa), Madrid, Cátedra, 1981, 7.ª ed., pp. 33, 34, 36 y 41.

---

[1] *agonismo*: lucha de carácter angustioso.
[2] *nihilista*: extremadamente pesimista.
[3] *erales*: reses de más de un año y menos de dos.

4. Ana María Matute

El recuerdo de la guerra de 1936-39 fue una sombra que planeó sobre la producción narrativa española durante muchos años. Primero (década de los cuarenta), ambientando la obra novelística de autores que la habían vivido y que trasladaban al papel sus experiencias personales. Más tarde (años cincuenta), como fondo evocado por las jóvenes generaciones que la habían conocido, pero sin haber participado en ella como combatientes. Para los autores de este grupo último, la remembranza de la contienda podría ser menos lacerante que para los del primero, pero no menos viva, por el hecho de haber afectado a unas sensibilidades infantiles o juveniles, más receptivas que las adultas a la influencia del mundo exterior. La descripción de Ana María Matute, efectuada desde ese punto de vista infantil, ayuda a comprender la dureza de su literatura, la quiebra de la ingenuidad que se aprecia en aquellos relatos suyos protagonizados por niños. La estremecedora imagen de ese muchacho manifestando un odio ideológico impropio de su edad, es difícilmente olvidable:

La guerra civil española no solo fue un impacto decisivo para mi vida de escritora, sino, me atrevo a suponer, para la mayoría de los escritores españoles de mi generación. Fuimos, pues, unos niños fundamentalmente asombrados. Los niños del largo estupor, que podría decirse. Bruscamente, se nos reveló en toda su crudeza aquel mundo que se nos escamoteaba, que se nos relegaba y ocultaba. De la noche a la mañana, esos niños de diez, doce años, hubimos de preguntarnos por qué las monjas y los frailes de nuestros colegios se vestían de seglar, se «disfrazaban», por así decirlo, y huían o se ocultaban. Por qué el sacerdote que nos dio la primera comunión se debía esconder como un ladrón. Por qué la fábrica, el taller o la empresa de nuestro padre, ya no era de nuestro padre. ¿Por qué el mundo que se nos dio como bueno, honesto y limpio, había levantado de improviso tanto odio? ¿Por qué si eran oficialmente los «buenos»? ¿Quiénes eran, en definitiva, los «malos»? Aquella niña asombrada que yo era, contempló de rodillas, tras la barandilla de balcones y terrazas, tras las persianas entreabiertas, a unos hombres armados que recorrían las calles, que clamaban por algo que jamás se me había explicado. Las iglesias ardían. ¿Por qué ardían las iglesias? ¿Por qué había ocurrido?

Hombres, mujeres y niños insospechados, harapientos, ardiendo en un odio para mí, entonces, incomprensible. Gentes que jamás vi en ninguna parte, que nunca imaginé pudieran vivir en la misma ciudad que yo. Era como si alguien hubiera vaciado las aguas de un estanque, al parecer tranquilo y limpio, y aparecieran en su fondo infinidad de desechos que no podíamos suponer.

Recuerdo que poco antes del 18 de julio, una tarde en Madrid, nos dirigíamos al colegio mis hermanos y yo, con la niñera. Era aún primavera, con un fuerte olor de madreselvas y jacintos, tras las tapias de los jardines. Un sordo rumor, primero lejano, como en anuncio de una tempestad, luego violento, desgarrado, bajaba calle abajo. Como un río que se desborda, como un lejano río que avanza inexorable y arrollador en el deshielo, bajaba el vocerío estremecedor: eran unas voces nuevas y terribles, que clamaban, que reclamaban, que agredían.

El aya nos cogió de la mano y corrió con nosotros, a refugiarse tras los muros de una granja.

Veíamos llorar a nuestra niñera, a la mujer del lechero, y alguna otra mujer que allí había. También el lechero estaba pálido y nervioso. «¡Van a quemar la Milagrosa, Dios mío, va a arder la Milagrosa!», decían. Efectivamente, se disponían a incendiar aquella iglesia situada justamente enfrente. Era la iglesia a donde acudíamos todos los domingos, donde había una enorme imagen de la Virgen, llena de oro y estrellas, guardada por los ángeles. Uno de ellos —¡lo recuerdo tan bien!— tenía la mano derecha levantada, y llevaba en la cabeza una reluciente corona de oro y piedras. Aquella era nuestra iglesia, la iglesia del incienso, las luces y los cánticos. Aquella era la Virgen de nuestra infancia, la que, según la niñera, lloraba cuando dejábamos el pan del revés, o silbaban las niñas.

Por la calle bajaba un grupo de gente dispuesta a incendiarla, a destrozarla. Como venganza... ¿de qué? ¿Por qué? ¿Hacia qué? Y recuerdo muy claramente que, de los primeros, avanzaba un muchachito de unos doce años, con un harapiento mono, descalzo, con el cabello negro y largo como una niña; que gritaba roncamente, esgrimiendo un largo palo en la mano derecha.

Pero aquellas gentes que habíamos visto no se esfumaron, no se borraron tras una orden, ni tras el telón del teatro. Aquellas gentes persistieron, y se multiplicaron.

Más tarde, ya en plena revolución, hube de acordarme de esta escena muchas veces. ¿Por que yacían las coronas de los ángeles en la ceniza, por qué aquel niño del mono astroso y el palo levantado odiaba al ángel de la infancia? Su destituida corona, pisoteada entre la ceniza, revelaba algo, hasta aquel momento desconocido.

Varios autores: *El autor enjuicia su obra*, Madrid, Editora Nacional, 1966, pp. 143-144.

5. Jesús Fernández Santos

Por primera vez en la novelística española desde el final de la guerra civil, objetivos comunes, prácticas literarias semejantes y amistades que trascendían el terreno de lo profesional unían a un grupo de autores (jóvenes) que compartían experiencias generacionales que todos habrían de recordar de la misma forma: ambientes, profesores, empresas literarias, mecenazgos, descubrimientos de escritores extranjeros... La generación de los cincuenta:

Allá por los años cincuenta coincidimos en la facultad de Filosofía y Letras de Madrid Ignacio Aldecoa, que venía de Salamanca; Carmen Martín Gaite; Sánchez Ferlosio, que llegaba, si no recuerdo mal, de intentar el ingreso en Arquitectura, y Alfonso Sastre, entre otros.

La universidad de entonces, como es fácil de imaginar, se parecía poco a la de ahora. Aún cursaban estudios promociones anteriores a la guerra. Se hablaba poco de política, y aunque la había, no se hacía notar demasiado. Lo que para nosotros supuso intentamos valorarlo Ignacio y yo en largas, vagas y bizantinas charlas. La verdad es que allí comenzamos a influir unos en otros, si no en nuestras obras, que por entonces intentábamos poner en pie, sí al menos en nuestro afán por conseguir un puesto en la literatura del país, que tan ajeno parecía.

En lo que siempre estuvimos de acuerdo fue en que sin pasar por ella, sin poner en marcha aquel teatro que fundamos, sin aquellas primeras lecturas, aquellas vueltas al atardecer y el recuerdo de algunos profesores, de Emilio García Gómez, Manuel Terán o Santiago Montero Díaz o Rafael Lapesa, no seríamos lo que fuimos luego.

Estudiábamos mal, sin verdadero interés. Cierto día, y con gran esfuerzo por mi parte, dejé la facultad. Solo al cabo del tiempo volvimos a encontrarnos de nuevo en el café Gijón. Por entonces, Antonio Rodríguez Moñino acababa de sacar a la luz *Revista Española*, y allí acabamos colaborando todos. Tal empeño duró poco, como era de rigor entonces, pero sirvió para dar cierta unidad a nuestra generación. Era la época de la aparición de nuestros primeros libros, cuando los editores se resistían a publicar novelas de autores jóvenes españoles, hasta que al fin se decidieron, arropándolos con el complicado mecanismo de los premios. Por entonces también comenzó a hablarse de lo que algunos se empeñaron en llamar realismo social, y otros, más vagamente, realismo objetivo. Cualquier palabra poco usual arrastraba tras de sí la etiqueta de tremendismo, y todo personaje de baja condición se suponía que escondía un peligroso mensaje entre líneas. Por entonces, Goytisolo se marchaba a París, y en España se comenzaba a hablar de Hemingway [1] y Faulkner [2]. Azorín escribía sobre cine, y Pío Baroja vivía envuelto en su manta, recibiendo visitas a solas, pensando quizá en aquel último y definitivo paseo al cementerio civil donde reposa.

Ser joven era un grave problema. Suponía sobre todo esperar, cuestión que solo el tiempo era capaz de solventar y que nosotros tratábamos de olvidar a nuestro modo: con charlas de café, vagabundeo por Madrid al anochecer y recalada final en la casa de Ignacio Aldecoa.

«La generación de los cincuenta», *El País* (Madrid), 1 mayo 1984, p. 9.

6. Carmen Martín Gaite

Los jóvenes escritores de los años cincuenta propiciaron la recuperación del aletargado género cuentístico. La observación de la realidad cotidiana daba pie

---

[1] Ernest Hemingway, escritor estadounidense (1898-1961), autor de novelas de carácter realista dotadas de un estilo directo e incisivo.

[2] William Faulkner: véase **114**.

a la invención de unos relatos que apresaban al ser humano en su instantaneidad vital. Muchos de ellos no son, para el lector de hoy, sino testimonios documentales de época que como tales han de ser valorados. La España de un cierto tiempo quedó retratada (con mayor o menor exactitud) en los cuentos de aquellos años cincuenta rebosantes de testimonialismo.

Pero también son muchos los cuentos de aquella lejana época que pueden ser leídos hoy independientemente de su ambientación histórica, porque el problema planteado está al margen de circunstancias sociales, cualesquiera que estas sean. La soledad de la protagonista de «Lo que queda enterrado» no se diferencia en nada de la que podría retratarse en un personaje similar que pudiera idearse hoy, tantos años después:

Empezaron a aparecer en mis tentativas literarias una serie de temas fundamentales, que en estos cuentos van casi siempre combinados, a reserva de que predomine o no uno de ellos: el tema de la rutina, el de la oposición entre pueblo y ciudad, el de las primeras decepciones infantiles, el de la incomunicación, el del desacuerdo entre lo que se hace y lo que se sueña, el del miedo a la libertad. Todos ellos pertenecen a campos muy próximos y remiten, en definitiva, al eterno problema del sufrimiento humano, despedazado y perdido en el seno de una sociedad que le es hostil y en la que, por otra parte, se ve obligado a insertarse. Me refiero de preferencia (como en el resto de mi producción literaria) a la huella que esta incapacidad por poner de acuerdo lo que se vive con lo que se anhela deja en las mujeres, más afectadas por la carencia de amor que los hombres, más atormentadas por la búsqueda de una identidad que las haga ser apreciadas por los demás y por sí mismas [...]. Suelen ser mujeres desvalidas y resignadas las que presento, pocas veces personajes agresivos, como trasunto literario que son de una época en que las reivindicaciones feministas eran prácticamente inexistentes en nuestro país. Pero diré también que ese malestar indefinible y profundo sufrido por las protagonistas de mis cuentos, ese echar de menos un poco más de amor, creo que sigue vigente hoy día, a despecho de las protestas emitidas por tantas mujeres «emancipadas», que reniegan de una condición a la que siguen atenidas y que las encarcela.

«Prólogo», *Cuentos completos*, Madrid, Alianza, 1978, pp. 8-9.

7. Miguel Delibes

«El verdadero progresismo ante la Naturaleza es el conservadurismo.» Es
frase asumida como propia por un Delibes que no ha dejado de escribir sobre
un campo en retroceso progresivo ante el avance desordenado de una
civilización poco respetuosa con peculiaridades y costumbres. Ese tiempo (aún
futuro, parece, en 1975) en que palabras de uso corriente en el ámbito rural
necesiten el erudito aparato de anotaciones al pie de la página ha llegado ya.
Solo los diccionarios especializados incorporan vocablos del campo que hoy
empiezan a ser rarezas léxicas:

Desde que tuve la mala ocurrencia de ponerme a escribir, me
ha movido una obsesión antiprogreso, no porque la máquina me
parezca mala en sí, sino por el lugar en que la hemos colocado con
respecto al hombre. Entonces, mis palabras [...] no son sino la
coronación de un largo proceso que viene clamando contra la
deshumanización progresiva de la Sociedad y la agresión a la
Naturaleza, resultados, ambos, de una misma actitud: la entroniza-
ción de las cosas. Pero el hombre, nos guste o no, tiene sus raíces en
la Naturaleza y al desarraigarlo con el señuelo de la técnica, lo
hemos despojado de su esencia. Esto es lo que se trasluce, imagino,
de mis literaturas [...]. En rigor, antes que menosprecio de corte y
alabanza de aldea, en mis libros hay un rechazo de un progreso que
envenena la corte e incita a abandonar la aldea. Desde mi atalaya
castellana, o sea, desde mi personal experiencia, es esta problemáti-
ca la que he tratado de reflejar en mis libros. Hemos matado la
cultura campesina pero no la hemos sustituido por nada, al menos,
por nada noble. Y la destrucción de la Naturaleza no es solamente
física, sino una destrucción de su significado para el hombre, una
verdadera amputación espiritual y vital de este. Al hombre,
ciertamente, se le arrebata la pureza del aire y del agua, pero
también se le amputa el lenguaje, y el paisaje en que transcurre su
vida, lleno de referencias personales y de su comunidad, es
convertido en un paisaje impersonalizado e insignificante.

En el primero de estos aspectos, ¿cuántos son los vocablos
relacionados con la Naturaleza, que, ahora mismo, ya han caído en
desuso y que, dentro de muy pocos años, no significarán nada para
nadie y se transformarán en puras palabras enterradas en los
diccionarios e ininteligibles para el «homo tecnologicus»? Me temo

que muchas de mis propias palabras, de las palabras que yo utilizo en mis novelas de ambiente rural, como por ejemplo *aricar, agostero, escardar, celemín, soldada, helada negra, alcor,* por no citar más que unas cuantas, van a necesitar muy pronto de notas aclaratorias como si estuviesen escritas en un idioma arcaico o esotérico, cuando simplemente han tratado de traslucir la vida de la Naturaleza y de los hombres que en ella viven y designar al paisaje, a los animales y a las plantas por sus nombres auténticos. Creo que el mero hecho de que nuestro diccionario omita muchos nombres de pájaros y plantas de uso común entre el pueblo es suficientemente expresivo en este aspecto.

> *El sentido del progreso desde mi obra* (discurso de recepción en la Real Academia Española), Valladolid, Miñón, 1975, pp. 52-53.

8. Francisco García Pavón

En un entorno histórico presidido por el realismo temático y formal, las posibilidades de la fantasía como elemento narrativo fueron escasas durante los años cuarenta y cincuenta. En 1945, sin embargo, García Pavón había publicado una de las escasas novelas de la época en que se superaba el molde realista: Cerca de Oviedo. *La guerra de los dos mil años, más de veinte años después, recuperaba esa veta fantasiosa que en el autor (se diría que siguiendo la evolución de la novelística española) se había mantenido soterrada hasta el momento de aflorar:*

La guerra de los dos mil años es un libro de imaginación crítica, no rememorativo y acariciador de fijaciones pretéritas. ¿Pero es que la imaginación, el repertorio de «imaginaciones constantes» que a uno le acompañan toda su vida no son algo tan real como las noticias y hechos concretos de su historia vivida? En nuestro cerebro habitan, hasta la hora de la muerte, tanto el recuerdo de ciertas cosas que vimos como la imagen de otras cosas que pensamos, que solo sentimos en la tiniebla de nuestras soledades. Ambas, imágenes inventadas e imágenes que fueron, a la hora de los grandes resúmenes pretéritos, tienen igual identidad, representan de la misma manera el ser insólito que somos. Al fin y al cabo, las cosas que fueron, cuando caducan, no son más reales que las que solo existieron bajo la bóveda de nuestro cerebro.

En: Erna Brandenberger, *Estudios sobre el cuento español actual*, Madrid, Editora Nacional, 1973, p. 136.

9. Medardo Fraile

Los personajes de Medardo Fraile hablan por él, porque en ellos ha depositado el creador ese hálito de humanidad y cariño que todos llevamos en nuestro interior. Son seres próximos a nosotros, seres a los que llegamos a querer porque son como uno mismo o se parecen a alguien a quien conocemos. Están tan solos como nosotros, tienen aspiraciones tal vez similares a las nuestras y una ternura escondida que los asemeja a ese yo íntimo que todos albergamos, pero no todos permitimos que los demás conozcan. Son los personajes de Medardo Fraile, pero una vez conocidos por intermedio de la lectura, son también los nuestros, los que nos ayudan a soñar, a no sentirnos tan solos y, quizá, también a recuperar la fe en la Humanidad:

Escribo a pesar de todo. Corrijo mucho. Rara vez me perdono una palabra con la que no esté del todo conforme. Escribo, supongo, pensando en mí. Pero me absuelve mi capacidad y paciencia, desde niño, para observar y escuchar a los demás. Mi afán de dar vueltas y ahondar en lo observado y oído. Necesito una confianza de excepción, o una excitación grande, para coger yo la palabra y desentenderme, siempre hasta cierto punto, del prójimo. Si no, escucho, callo, me arrimo, aventuro una palabra, muevo los ojos. Pero me resarzo dándome en mis cuentos con lo vivido, por lo que a veces pienso que no serán sustituidos fácilmente. No hay imitaciones en mí, aunque habrá afinidades e influencias. Me expreso por entero a mi modo y con mis palabras.

Me gusta la vida. Dicen que puedo ser cruel (conmigo mismo, a veces), que tengo ternura (esto lo sé), que soy comprensivo, pesimista, algo loco (aquí incluyen cierta alegría y la forma de expresarme, hablando). No sé. La muerte me desazona. Me frena, me espolea, me hace trabajar o vagar. Creo que nunca he iniciado el diálogo con uno de mis modestos personajes sin verle la muerte. Y, entre ellos, me meto, sobre todo, con los que no han pensado en ella o no les afecta. Muchos, quizá, son desasidos, frustrados o las dos cosas. Puede que les venga todo de la única prohibición palpable que nunca leemos: «Prohibido Soñar». El ala rota, la melancolía, el humor. Vaguedad por vaguedad, aunque yo sé lo que digo, milito en *lo humano* antes que en *lo social*. Me parece más hondo, difícil y ambicioso. Lo humano es lo único que me interesa sin proponérmelo. Es tópico que el hombre es un solitario a ultranza. Pero hoy su soledad es terrible. Los empeñados en «adelantarnos» trabajan, fatalmente, para hacernos más remotos e ininteligibles. El escritor, con sus libros, debe arrimar al hombre compañía, confianza y descreimiento de ciertas cosas que atañen solo a las primeras planas de los diarios. Creo que eso es, simplemente, lo que hago al escribir. Acompañarme con vosotros, los que ahora estáis aquí como yo; pero también acompañaros, sin discordia, con amor, esperando...

El Ciervo, n.º 96 (jun. 1961), p. 15.

10. Alonso Zamora Vicente

La producción cuentística de este maestro de la prosa ofrece un extraño contraste, que solo lo es en apariencia: junto a cuentos puramente humorísticos (o, a lo mejor, no tan puramente), como «Con la mejor voluntad», encontramos también otros (generalmente, en forma de monólogos) que ponen al descubierto la dramática soledad del ser humano, el patético vacío en que se desenvuelve su actividad diaria. Únicamente la ternura hacia esas figuras a la deriva, la solidaridad que incita a contemplarlas con un afecto que atenúe la insignificancia real de las mismas, contrapesan la visión negativa del autor. Queda, en los cuentos de Zamora Vicente (como queda en los de Fraile), el cariño hacia las criaturas en ellos retratadas:

Ahora me dicen que qué me ha hecho la gente esa que yo saco en mis narracioncillas de periódico. Que por qué les tomo el pelo. Hombre, si es que no dejas títere con cabeza, qué tío, con qué uva, etcétera, etcétera... Todos los tópicos que se encadenan cuando no se sabe de qué hablar, o cuando —caso cada vez más frecuente— no hay por qué hablar. Y no es verdad. Toda esa gente que ahora

sale por mis narraciones, artículos o lo que sean, que a mí me da
igual llamarlos Pepe, son gente. Gente. Son los míos, los que me
recuerdan que no estoy solo, y quizás también los que van
escoltando el inevitable deslizamiento hacia la radical soledad, la
más numerosamente despoblada. La cantante loca, el poeta que
recita como propios los versos ajenos, la burguesita de pueblo que
ha presenciado un accidente en la carretera y dice sandeces
monumentales, la monja bobalicona que enseña preces e ignora el
teorema de Pitágoras, y el albañil que, de vuelta de una paella en el
pinar sucio de los alrededores, canta *Asturias, patria querida* hasta
enronquecer, y el ye-yé pitongo [1] que repatea palabrejas en inglés y
se mira al espejo imitando a Elvis Presley o a Richard Anthony [2], y
la mocosuela que no sabe aún fumar ni lucir la falda brevecilla, y la
pensionista que siempre está si mi difunto levantara la cabeza, y el
hombre importante que tiene influencias en los ministerios y puede
auxiliar a los calzonazos que andan de oposiciones, que los buenos
ya se las arreglarán como puedan, y el que se cuela en las colas
silbandillo, y la pobre mujer que cose a domicilio, cada vez más
roídos los puños de piel, más torcidos los tacones... Y todos. Todos
envueltos en esta niebla de opaca, soñolienta tristeza. Ah, no, no me
gustan nada. Absolutamente nada. Pero los quiero. Son los míos,
los que tengo ahí. Dios no me ha dado otra España más habitable y
debo resolvérmela todas las mañanas. Cómo había de tomarle el
pelo. Presiento que, en mucho tiempo, este será mi quehacer
extrafilológico: gente. Gente, hombres y mujeres que, con sus
defectos aparentemente ridículos, pueden probar documentalmente
que han nacido pequeñitos, como decía César Vallejo [3]. Y, añado
yo, por mi cuenta, también pueden probar que no han tenido
nunca nadie que les ayude a crecer. Sí, son los míos. Por ellos y
para ellos pienso seguir escribiendo. No faltará luego un catedrático

---

[1] *pitongo*: presumido.
[2] Dos cantantes que (sobre todo el primero) marcaron época; Elvis
entronizó el *rock and roll* allá por los años cincuenta, y Anthony popularizó
en los sesenta una versión («Aranjuez, mon amour») del célebre adagio del
Concierto de Aranjuez, para guitarra y orquesta, del músico español Joaquín
Rodrigo.
[3] Escritor peruano (1892-1938), autor de una relevante obra poética.

que se encargue de decir, orgullosamente, qué ha salido al separar la frontera entre el desencantado testimonio y la tierna broma.

Varios autores: *Prosa novelesca actual. Segunda reunión. Agosto 1968*, Madrid, Universidad Internacional Menéndez Pelayo, 1969, pp. 284-285.

11. Juan Benet

La publicación, en 1967, de la novela de Benet Volverás a Región *coincidía en el tiempo con el comienzo de una nueva etapa en la narrativa española, ya olvidada de un realismo social que había agotado sus recursos expresivos. Se abría paso el relato escorado hacia la fantasía, el texto (cuando no el metatexto) como tema novelístico. Si el realismo social se preocupaba de dejar bien clara su lección, la narrativa posterior a él se esforzaba, por el contrario, en ocultar datos, en acuciar al lector para que penetrara en el texto y lo completase con su aportación. Estas palabras de Benet difícilmente hubieran sido posibles en los años cincuenta:*

No creo [...] que sea una coincidencia ocurrida en el espacio y en el tiempo, en el seno de una sociedad culta que progresivamente va abandonando el verbo como herramienta científica, la aparición de una literatura que, no sintiéndose apremiada por la obligación de representar la naturaleza, también progresivamente va eliminando de su código la necesidad de ser inequívoca, veraz y certera. Me refiero precisamente a esa clase de literatura que mencionaba al principio y que goza de todas mis predilecciones. Me resulta difícil calificarla porque, en apariencia, [...] no presenta unos resultados denodadamente diferenciados de cualquier otra ni hace uso de unos procedimientos exclusivos de ella, ni impone las modas ni influye demasiado en su curso [...]. Diré —para destacar su rasgo más acusado [...]— que por cuanto esa literatura se ha liberado del demonio de la exactitud, a la postre concluye en el misterio de sí misma. Y que mucha mayor importancia que el intento de acotar y resolver, cuando es posible, los numerosos enigmas de la naturaleza, de la sociedad, del hombre o de la historia [...] tiene el deseo de presentarlos, de preservarlos, de conservarlos en su insondable

oscuridad, de demostrar la insuficiencia gnoseológica [1] y la insolubi-
lidad de aquellos; e incluso [...], de fomentar la invención de
aquella clase de misterio que por su naturaleza se encuentra y se
encontrará siempre más allá del poder del conocimiento.

> «Incertidumbre, memoria, fatalidad y temor», *En ciernes*,
> Madrid, Taurus, 1976, pp. 48-49.

12. Jorge Ferrer-Vidal

*El hoy del cuento español (o, si se prefiere, una de las versiones de ese
presente, y no precisamente la más esperanzadora), según uno de sus más
constantes cultivadores:*

Tenemos en España, hoy, 1988, un extraordinario plantel de
cuentistas [...] que en cualquier otra literatura, en cualquier otro
país del mundo, causaría admiración y orgullo. Pero, al margen de
la calidad de nuestros cuentistas, la narración breve entre nosotros
ni se lee, ni se comenta, ni se critica, ni merece estima alguna por
parte de editores y lectores. ¿Por qué? ¿Qué es lo que ocurre? [...]

Partamos de una base lamentable, pero cierta, y confesemos
que nuestra sociedad sigue siendo en gran medida peligrosamente
analfabeta, pues no existe analfabetismo más radical y empecinado
que el de aquellos que saben leer y escribir. Hoy, leer en España
equivale aún para muchos a una actividad gravemente peligrosa o,
cuando menos, a la pérdida lamentable de tiempo. Hasta hace
poco, leer una novela era buscar la ocasión de pecar. Somos un
pueblo soberanamente inculto y, a mayor abundamiento, nos
jactamos de ello. Y si resulta absurdo y peligroso leer una novela,
¿cómo un español sensato puede dedicar su ocio a la lectura de
cuentos, si tal género es aún para el 90 por 100 de los españoles cosa
de niños? [...]

Naturalmente, es más difícil leer un cuento [...] que agotar en
breve plazo los centenares de páginas de *Vinieron las lluvias* [2] o de *Lo*

---

[1] *gnoseológica*: relativa al conocimiento.
[2] Extensa novela escrita (1937) por el autor estadounidense Louis
Bromfield (1896-1956).

que el viento se llevó[3]. Lo cual es lógico: los que estamos aquí escribimos cuentos para personas inteligentes, y tal especie no abunda, e incluso aquellas que lo son suelen tener su talento lastrado por la lacra tradicional (quién sabe si sempiterna) de la pereza intelectual.

Perezosos son, reconozcámoslo, nuestros analfabetos que saben leer y escribir. Y perezosos e inertes (vamos a llamarlo todo por su nombre) son también aquellos que debieran guiar los gustos del ciudadano medio en materia literaria, es decir, editores y críticos: unos editores sin preparación ni inquietud cultural, dotados, con frecuencia, mejor para vender garbanzos que libros, y unos críticos a la violeta[4], inmersos en el magma viscoso del amiguismo, del dogmatismo irracional y de una fabulosa incultura, subyacente bajo el esnobismo[5] de la peor índole, excepciones excluidas y sin distinción de ideología ni de sexo.

Mientras editores y críticos de este país mantengan su línea de irrelevancia, la situación del cuento en España constituirá una extraordinaria aportación literaria enmarcada en una perspectiva cultural tercermundista.

> Extracto del texto, inédito, de la conferencia pronuncia-
> da en mayo de 1988, en la Asociación Colegial de Escrito-
> res.

B) EL GÉNERO CUENTÍSTICO

Ahorraré al lector consideraciones que quizá podrían parecer superfluas al destinatario natural de estas páginas y tal vez no suficientemente profundas al especialista, evitando, con la simple reproducción de estos comentarios del siempre lúcido Mariano Baquero Goyanes, recurrir a textos que, por especializados (verbigracia, los libros de Propp, Omil-Piérola, Mélétinski, Lancelotti, Anderson Imbert, Bosch), presentan mucho más interés para

---

[3] Única novela publicada (1936) por la escritora estadounidense Margaret Mitchell (1900-1949); una célebre versión cinematográfica popularizó esta vasta crónica sentimental de la Guerra de Secesión.

[4] *a la violeta:* con conocimientos muy superficiales.

[5] *esnobismo:* exagerada admiración por lo que está de moda.

quienes nos acercamos a la teoría que para quienes se aproximan (probablemente por vez primera) a la práctica:

Un cuento es fundamentalmente un tema que solo parece admitir, con plena eficacia estética, la forma del relato breve.

El cuento suele herir la sensibilidad de un golpe, puesto que también suele concebirse súbitamente, como en una iluminación. [...] Si la memoria del lector recuerda el cuento de pronto, de una vez, es porque en el cuento no hay digresiones ni personajes secundarios; es porque el cuento es argumento, ante todo. De una novela se recuerdan situaciones, momentos, descripciones, ambientes, pero no siempre el argumento. [...] Un cuento se recuerda íntegramente o no se recuerda. Todo esto parece sugerir que mientras las peripecias de una novela pueden complicarse, nó sucede lo mismo en el cuento, cuya trama ha de poseer el suficiente interés como para ser captada —y por ende, recordada— de golpe, sin pecar nunca de enmarañada, como una novela en síntesis. Es condición esta que revela la dificultad del cuento, ya que su autor no puede utilizar los recursos normales de la novela, de suspender una acción e introducir otra, y volver a aquella al cabo de muchas páginas; de desorientar al lector en cuanto a la conducta de los personajes; de hacer funcionar, a lo largo de la dilatada narración, unos núcleos polarizadores del interés del lector, etc. En el cuento los tres tiempos o momentos de las viejas preceptivas —exposición, nudo y desenlace— están tan apretados que casi son uno solo. El asunto, la situación, el tema ha de ser sencillo y apasionante a la vez. El lector de una novela podrá, quizá, sentirse defraudado por el primer capítulo, pero tal vez el segundo capte su atención. En el cuento no hay tiempo para eso: desde las primeras líneas ha de atraer la atención del lector. Si este no *entra* entonces en el relato, es muy probable que tal situación se mantenga hasta la lectura de la última línea.

Aun admitiendo que la forma del cuento se relaciona muy estrechamente con la de la novela, su tono ya no puede ser calificado de novelesco. Y sin que el mismo admita totalmente la consideración de *poético*, parece claro que es a este al que más se acerca, aunque su acento, su voz, no sean los de la pura poesía lírica.

El cuento es un preciso género literario que sirve para expresar un tipo especial de emoción, de signo muy semejante a la poética, pero que no siendo apropiada para ser expuesta poéticamente, encarna en una forma narrativa próxima a la de la novela, pero diferente de ella en técnica e intención. Se trata, pues, de un género intermedio entre poesía y novela apresador de un matiz semipoético, seminovelesco, que solo es expresable en las dimensiones del cuento.

Existe una temática que solo parece poder expresarse en forma de cuento. Por eso, este género que muchos consideran fácil por la brevedad de sus dimensiones, se caracteriza realmente por su oculta complejidad y por lo delicado de su tratamiento. La perfecta adecuación que ha de darse entre forma y tema para que un cuento pueda considerarse logrado estéticamente exige un cuidado y, sobre todo, una poética intuición que no tienen demasiado que ver con el hacer lento y meditado de la novela, marcado por el juego de tensiones y de treguas. En la creación de un cuento solo hay tensión y no tregua. Ahí radica precisamente el secreto de su poder de atracción sobre el lector.

Qué es la novela. Qué es el cuento, Murcia, Universidad, 1988, pp. 133, 134-135, 138, 139 y 150.

Orientaciones para el estudio de *El cuento español, 1940-1980*

A) Orientaciones particularizadas

1. *«Marcelo Brito», de Camilo José Cela*

El tremendismo, representado con cierta precisión en este cuento de Cela, es una fórmula literaria irrealista, basada en la distorsión de una realidad verosímil. Los personajes se animalizan, las situaciones se presentan en el máximo punto de exageración y, en definitiva, el mundo existente apenas es reconocible, al deformarse en alto grado sus manifestaciones y reducirse la personalidad del ser humano a lo patológico y anormal. En Cela, ese sistema expresivo se corrige con la aparición de rasgos de humor y ternura que equilibran la aparente (en cuanto relacionada con una ficción que no es real) crueldad de determinados momentos.

> — Enumérense los apuntes tremendistas del relato, las ocasionales apariciones de la ternura y el humor en él y, finalmente, aquellas secuencias narrativas en que se conjugan los elementos indicados.

— Analícese la función de los diminutivos en el cuento, en relación con alguno de los aspectos anteriores.

Las creaciones más celebradas del autor de «Marcelo Brito» se localizan en lugares concretos y en tiempo preciso (así, *La colmena* intenta retratar un cierto sector de la vida madrileña en los primeros años cuarenta). La puntualización espacial funciona, en el cuento, al igual que lo hace la referencia de nombres y apellidos, con objeto de apuntalar la verosimilitud de la narración que se está desarrollando y que ha de parecer fiel a la realidad, puesto que no se trata, tal como se ofrece al lector, de una invención ficticia, sino de un hecho en verdad acaecido.

— Constátese la existencia de otros procedimientos utilizados por el autor para trasladar al lector esa impresión de veracidad, de crónica relatada de un suceso auténtico.

Subrepticiamente, «Marcelo Brito» es un texto polifónico, porque da entrada a más de una voz narrativa: el relato que llega al lector es imputable no solo a Camilo José Cela escritor, sino también a otros personajes (el propio Cela se integra como tal en el cuento), presentes o ausentes en el discurso.

— Identifíquense las voces narrativas y establézcase un esquema de relaciones entre ellas mismas y de cada una con el propio lector.

Los narradores no adoptan en «Marcelo Brito» una

postura de aséptica objetividad, sino que toman partido, de manera expresa o no, por alguno de los personajes del cuento, y en contra de otros.

— Clasifíquense los personajes del cuento en uno u otro campo (o, si procede, en un tercero, de carácter neutral) y anótense los rasgos que justifiquen la propuesta.

— Señálese el papel que, en relación con la subjetividad del relato (o, dicho de otra forma, con la falta de objetividad del mismo), pueda tener la atención prodigada a los detalles propios de la infancia.

La maestría de Cela en el dominio de los diversos registros del habla (cultos o populares) nunca ha sido cuestionada. De ese dominio es cumplida muestra «Marcelo Brito», un texto en el que se conjugan niveles de habla tan diferentes (en apariencia, cuando menos) como bien ensamblados.

— Estúdiense los aspectos lingüísticos del texto, con especial atención a puntos como la mezcla de lenguaje oral y lenguaje escrito, usos coloquiales y expresiones puramente literarias, etc.

Una de las notas definitorias de cualquier cuento es la necesidad de que todos los elementos que lo componen sean pertinentes (e imprescindibles) para el desarrollo del mismo. El lector puede no percatarse del exceso de datos innecesarios en un texto de considerable extensión (una novela, por ejemplo), pero es difícil que no capte la existencia de algún personaje o detalle superfluo en un relato breve.

— Considérese, desde este punto de vista (y desde el contrario), la introducción de los personajes de doña Julia y don Anselmo, y justifíquese el razonamiento en caso de admitir su relevancia argumental.

2. *«Así vivimos», de Tomás Borrás*

La estructura del cuento es circular: el primer párrafo y el último son prácticamente idénticos en el tono.

— Interprétese la circularidad del relato en relación con el sentido general de este y, en concreto, sobre la posible lectura pesimista a que conduce su desarrollo.

Aunque el fondo social que se trasluce en «Así vivimos» es el característico de una determinada etapa de la vida española (los años cuarenta), no cabe pensar en ninguna fórmula de crítica, sino más bien en una amable sátira de costumbres, enfocada hacia la frivolidad de un cierto ambiente que, *mutatis mutandis,* es identificable en cualquier momento histórico. Esta ahistoricidad, por sí sola, choca con todo hipotético propósito crítico.

— Adviértanse los usos sociales satirizados.

El manejo de las voces del relato dista mucho de ser perfecto en este cuento de Borrás. En más de una secuencia, una voz se autoatribuye comentarios que, por su carácter negativo, habríamos de asignar lógicamente a otra voz distinta, la del crítico de esas costumbres sociales. Es decir, el personaje caracterizado negativamente habla como lo haría el propio autor en función de comentarista no objetivo.

— Precísense aquellas frases en que se patentiza la aludida confusión de voces narrativas, así como aquellos fragmentos en que la falta de objetividad del autor con respecto a algún personaje del relato se pone de manifiesto con mayor claridad.

---

3. *«El aprendiz de cobrador», de Ignacio Aldecoa*

La estructura de la novela admite multiplicidad de variantes. Las posibilidades del cuento son considerablemente menores, pero ello no impide la diversidad de enfoques. Si «Marcelo Brito» es un cuento que traza una evolución cronológica muy amplia, «El aprendiz de cobrador» (también «Así vivimos») restringe los límites temporales del desarrollo argumental. Esto no supone, sin embargo, la obligatoriedad de reducir el mismo a la captación de la instantaneidad.

— Estructúrese el relato de Aldecoa atendiendo al tratamiento del tiempo, y divídase en secuencias narrativas identificadas bien por el cambio de espacio, bien por el de la cronología.

Uno de los máximos logros de Aldecoa es, sin duda, la perfección alcanzada en el tratamiento realista de ambientes vulgares (en el sentido más noble de la palabra) son ⌐ y otros en «El aprendiz de cobrador», pero, eso sí, caracterizados con una extraordinaria veracidad humana, a la que coadyuva la reproducción de un habla captada con precisión.

— Anótense las peculiaridades expresivas de los personajes y la relación de las mismas con sus respectivas extracciones sociales.

Paralelamente a la finura descriptiva de que están dotados los relatos de Aldecoa, sobresale en ellos la poetización de una realidad no siempre (o casi nunca) esplendorosa. En «El aprendiz de cobrador» se hacen notar detalles como la transmisión al lector de las condiciones climatológicas de un lado, y la aprehensión de los datos más significativos proporcionados por la Naturaleza, de otro.

— Resáltense otros puntos que se consideren de interés en relación con el arte descriptivo del autor.
— Valórese y justifíquese la imagen final utilizada en el cuento.

La primera obra publicada por Aldecoa fue un libro de versos. Sus relatos nunca dejarían de incorporar esas resonancias líricas que con tan buena fortuna prestan su aliento poetizador al realismo habitual en ellos.

— Detállense los momentos en que la notación poética complementa el desarrollo narrativo.

— Explíquese el papel de recursos expresivos como la repetición, la comparación, etc., y establézcase su vinculación con el aludido propósito poetizador de la realidad.

4. «Vida nueva», de Ana María Matute

Es de notar en «Vida nueva» la economía de medios expresivos, al servicio de una sencillez que halla correspondencia argumental en la triste historia de los personajes. La simplicidad de los materiales utilizados en la construcción del relato no obsta, sin embargo, para la presencia de un elemento apenas esbozado, pero de importancia nada desdeñable en la estructura del cuento: la bufanda de don Julián.

— Indíquese la función estructural y temática de dicho elemento, en sus dos apariciones.

La soledad unifica las existencias de los dos protagonistas del cuento, pero la reacción de uno y otro ante ella no es la misma. En el breve espacio que puede permitirse el desarrollo de un relato breve es posible diseñar las líneas generales de una psicología, enfrentar temperamentos distintos, conducir el análisis de personalidades diferentes («Lo que queda enterrado» es buen ejemplo de desarrollo de estas posibilidades).

— Esbócense los rasgos psicológicos que, de acuerdo con su comportamiento, podrían ser la base de una caracterización de los dos personajes de «Vida nueva».

La estructura del cuento de Ana María Matute es parcialmente dual, al seguirse los pasos de cada uno de los protagonistas independientemente de los del otro. La estructura unitaria del relato se obtiene aquí por el procedimiento inverso al esperado, porque la separación de las dos ramas del tronco argumental se produce al final, y no al principio.

— Razónese la pertinencia de esta inversión estructural, así como la posible relación de la misma con el tema central del relato: la soledad.

5. «La vocación», de Jesús Fernández Santos

Dos rasgos muy acusados marcan la tónica dominante en este cuento: su carácter de documento de época y el objetivismo de la técnica utilizada. A finales de los años cincuenta, y a partir de *El Jarama*, se impuso en nuestra narrativa un tipo de relato en que el autor aspiraba a no hacerse visible, a convertirse en mero transmisor de las palabras de sus personajes (muchas veces no identificados con el habitual «dijo X») y simple observador de una realidad objetiva que, por serlo, no podía tamizarse por la subjetividad del creador. Para Alain Robbe-Grillet, abanderado del objetivismo francés (muy distinto, por otro lado, de la tendencia española del mismo nombre), la montaña no podía ser majestuosa, ni el sol implacable, ni la selva tener corazón. «El mundo no es ni significante ni absurdo. *Es*, sencillamente», escribía en 1956.

— Relaciónese lo expuesto anteriormente con la técnica objetivista utilizada en «La vocación», y caracterícese

> aquella con los rasgos que se deduzcan de la lectura del cuento.

El objetivismo estuvo muy vinculado a la cinematografía. Algunos de sus practicantes, en España (Fernández Santos) y Francia (Robbe-Grillet), tuvieron una importante presencia en el mundo de la cámara. «La vocación» podría ser tanto un texto para la lectura como un relato destinado a la filmación. La aparición del narrador se reduce al mínimo imprescindible (adviértase cómo en muchos momentos no es posible, ni tampoco necesario, conocer la identidad del hablante), quedando en manos de los personajes el desarrollo de una buena parte del argumento. En no pocas ocasiones, el lector puede tener la acertada impresión de que su conocimiento de la acción mejoraría si la imagen complementara la palabra: la lectura no permite captar gestos y movimientos que sí puede transmitir la imagen.

> — Aplíquense a diferentes secuencias del texto las consideraciones anteriores, precisándose en qué momento la intervención de la supuesta cámara sustituye el valor expresivo de la palabra.
> — Cítense los detalles concretos en que puede advertirse la influencia de la concepción cinematográfica del relato.
> — Júzguese la importancia de los elementos auditivos (sonidos, voces, incluso ausencia de unos y otras) en dicha concepción cinematográfica.

Factor central en la técnica neorrealista, a partir de sus primeras manifestaciones (*Las últimas horas,* de Suárez Carreño; *La colmena,* de Cela, y *La noria,* de Luis Romero, fechadas en 1950, 1951 y 1952, respectivamente), fue la consideración puntual de la cronología. El tiempo se reducía a unas horas o, a lo sumo, a unos pocos días, y su presencia cubría bien la mediocre existencia de unos personajes asfixiados en su rutina, bien la angustiosa carrera hacia la cercana muerte. Se arrinconaba así el relato tradicional, basado en una duración temporal que abarcaba, generalmente, la vida entera del personaje, y se prestaba más atención a la circunstancia concreta, a la existencialización de los sucesos.

— Enjuíciese la importancia del factor cronológico en el desarrollo del cuento, anotando los momentos en que el narrador realza su manifestación, e interprétese el dato en relación con el sentido general del texto.

---

6. *«Lo que queda enterrado», de Carmen Martín Gaite*

«Lo que queda enterrado» es un espléndido análisis de una psicología en crisis: la de María. Pero los demás personajes del cuento están enteramente individualizados, propiciándose de este modo un muy eficaz contraste de personalidades. La expresión oral de cada uno de ellos proporciona (otro brillante logro de la autora) datos suficientes para permitir la caracterización de los hablantes.

— Fíjense los rasgos más sobresalientes de las personalidades de Lorenzo, de la hermana de la protagonista y del joven que se acerca a esta en el pueblo, basándose de una manera especial en las palabras que cada uno de ellos pronuncia a lo largo del relato.

La infancia es el *leitmotiv* del relato, aunque no su tema central: sobre él planea desde puntos de vista distintos. Los centros focales de este motivo conductor son la niña muerta, los chicos que juegan mientras la pareja está en la terraza, las niñas con las que María y Lorenzo se encuentran al retornar ella al hogar y, sobre todo, la criatura aún no nacida.

— Esclarézcase la importancia de la muerte de la hija a la que María recuerda, así como el carácter, central o marginal, que este hecho adquiere en el cuento.

— Equipárense, argumentalmente, la obsesión que María siente por la infancia y lo que quizá podría considerarse (así parece verlo Lorenzo) como una cierta inmadurez de carácter en la protagonista femenina.

La contraposición entre realidad (con su carga de rutina, monotonía, hastío) y fantasía (liberación de trabas, ilusión, esperanza) subyace bajo la estructura superficial del texto. Los dos sueños de María son la expresión explícita de esa interioridad del subconsciente.

— Tradúzcase al plano de la realidad cada una de las dos fantasías oníricas de María (su encuentro con Ramón y su visión de la niña encerrada en un armario), e inténtese explicar el significado de los elementos contenidos en ambas.

— Puntualícense los momentos en que surge con mayor nitidez el enfrentamiento entre la fría percepción realista de Lorenzo y la imaginativa ensoñación de María.

Tan importantes como las palabras pueden serlo (y en un cuento, con mayor motivo) los silencios. En «Lo que queda enterrado» estos, en determinados momentos, asumen un claro protagonismo que realza la soledad del personaje.

> — Acótense las secuencias narrativas en que ello sucede.

La escena en que María y Lorenzo se encuentran con unas niñas jugando es, en apariencia, secundaria dentro de la trama. Sin embargo, es rica la gama de reflexiones que permite ese encuentro fortuito que, indiscutiblemente, tiene una funcionalidad en el cuento.

> — Sugiéranse, a partir del desarrollo de las ideas expuestas en **65** y de cualesquiera otras añadidas, las posibilidades de interpretación de esa escena.

No es frecuente que en número tan escaso de páginas se exponga con tal profundidad el problema de una psicología confundida. Al contrario que los demás personajes del cuento, que se definen por su forma de expresarse, María se caracteriza mejor por lo que siente que por lo que dice (detalle este que acrecienta su soledad y su incomunicación).

> — Añádanse a las notas aportadas en **52** otras que se

consideren relevantes con miras a la caracterización psicológica de María, y ejemplifíquense en cada caso.

Por encima del argumento lineal flota una ambientación que sitúa las reacciones de María en un marco climatológico especialmente adecuado para explicarlas.

— Arguméntense los motivos que explican la localización del cuento en una determinada época del año.

7. «El conejo», de Miguel Delibes

El habla de los personajes del cuento proporciona dos tipos de datos: la diferencia de edad existente entre los tres hermanos y las notaciones de léxico rural.

— Amplíense los detalles relacionados con el primero de los puntos, a partir de las distintas reacciones de los personajes ante los sucesos externos.
— Extiéndase el análisis psicológico al personaje de Boni.
— Menciónense los rasgos textuales que inciden en el segundo de los puntos expuestos, con especial atención a las construcciones sintácticas.

La muerte, junto con la preocupación por el progreso deshumanizador (de consecuencias particularmente negativas para el campo) y la inquietud existencial, de raíz católica, es uno de los temas recurrentes en la narrativa de

Delibes. En «El conejo», se asocia con una presencia repetida en otros de sus textos *(El camino, El príncipe destronado...)*:
la de la infancia. Adolfo es una figura infantil inocente
todavía, pero ya conocedora de la experiencia decisiva de la
existencia humana: el trato con la muerte.

> · — Desarróllese, de acuerdo con lo expuesto, la idea
> contenida en **77**.

En «El conejo» hay una imagen obsesiva, la del vuelo,
que no llega a explicarse racionalmente, como sin duda es
difícil justificarla en la mentalidad de Adolfo. Ha de ser el
lector quien interprete (porque no lo harán ni el niño ni el
autor) la fijación del personaje en torno a este punto.

> — Propóngase una interpretación de dicha imagen,
> en sentido parecido o diferente del aventurado en **69**.

8. *«El mundo transparente», de Francisco García Pavón*

El cuento tiene un destinatario no aludido expresamente; pero sin duda existe (y no es, lógicamente, el lector). La
relación entre el relator y ese presunto oyente es reconocible
por determinados signos externos de complicidad que se
facilitan en la narración. El lector desconoce datos que son
del común conocimiento de ese relator y de su oyente (u
oyentes). Además, cabe pensar en un desdoblamiento de la
voz narrativa, dado que no son identificables las personas
del relator del cuento y del narrador o escritor que nos lo
transmite a nosotros. Es, por tanto, un cuento narrado dos

veces, por la vía de una doble relación: relator-oyente(s) / narrador-lector(es). La correspondencia puede ampliarse dentro del mismo cuadro: relator-narrador, por ejemplo.

—————————————————————————

— Trácese un cuadro que permita la clarificación de las distintas voces del relato, así como la identidad de los destinatarios del mismo, esbozando el carácter y la intensidad de las relaciones mutuas.

— Reconózcanse los detalles textuales que permiten el establecimiento de esas relaciones (¿por qué sabemos, por ejemplo, que hay uno o más oyentes que conocen esa información, oculta para el lector, pero conocida por los personajes instalados en ese primer plano de lectura?).

—————————————————————————

Por la vía del irónico humorismo, un buen número de elementos sociales (la clase política entre ellos) es objeto de los dardos críticos lanzados por el autor. Pero no solo los factores colectivos son el blanco del sarcasmo destilado por el relato; también los comportamientos individuales (los no dependientes de influencias exteriores al propio yo) se ven afectados.

—————————————————————————

— Entresáquense del texto aquellos datos de uno y otro orden.

—————————————————————————

Toda una sociedad es partícipe de la locura colectiva que introduce la invención del aparato detector de la intimidad. Hay un personaje, sin embargo, que individualiza la generalidad de males originados por la difusión masiva de la televisión indiscreta.

— Explicítese el papel desempeñado en la trama por Sofie, a partir de la posible consideración humorística de su función (amplíese, en este sentido, la formulación de **88**).

«El mundo transparente» es un buen ejemplo de cuento polisémico (aquel que admite más de una interpretación). Hay en él, por descontado, orientaciones claras acerca de su significado, incluso manifestaciones teóricas explícitas (véanse **82, 84** y **86**). Pero son tan numerosos los elementos puestos en juego en el relato (la curiosidad universal como rasgo caracterizador de la especie humana, los males del progreso técnico, los errores de una libertad que degenera en libertinaje atentatorio contra la propia libertad esencial del ser humano...), que la lectura no puede ser única.

— Formúlense posibles interpretaciones del cuento, a partir de la consideración esquematizada en **91,** o bien desde supuestos diferentes y aun contrarios a la misma.

No se aclara, al final del relato, qué «gran catástrofe» se abatió sobre la Tierra después de que se desarrollaran los acontecimientos narrados. Esta conclusión abierta refuerza la visión pesimista que se ofrece de un hombre dominado por sus instintos: parece probable que, algún tiempo después de lo sucedido, el ser humano recayera en los mismos o similares errores y que el agravamiento de la situación (desconocida por el lector, pero no por el oyente del relato) condujera a otro desastre.

— Invéntese una posible continuación del cuento, a partir de los elementos ya dados en este (la ambigüedad del final no impide conjeturar que la catástrofe susodicha tuviese su origen exactamente en las mismas causas que provocaron la anterior).

9. «Descubridor de nada», de Medardo Fraile

Ante la retina del protagonista desfila una sucesión de imágenes en principio dotadas de sentido individualizado, pero unificadas inmediatamente en la percepción de aquel. Don Rosendo se va apropiando de esas imágenes, las va haciendo suyas e integrándolas en su propia cosmovisión. La mayoría de ellas se orienta hacia un neto pesimismo existencial; solo una de ellas (la piedra de forma vagamente humanizada) parece dejar abierta la puerta de la esperanza.

— Aclárese el significado de los siguientes elementos del texto:
  a) el tren, en sus dos apariciones;
  b) la piedra;
  c) el perro;
  d) los pescadores;
  e) las campanas;
  f) el salvavidas.
— Dése explicación del ritmo cortante de la prosa (nótese, por ejemplo, la frecuencia del punto y aparte).

Dos procesos diferentes se desarrollan durante el paseo del personaje: su reflexión interior y su aproximación a la realidad externa. En esta última se integra la Naturaleza; en aquella, el *leitmotiv* de la canción.

— Determínese la función narrativa de uno y otro elemento (Naturaleza y canción), así como su relación con las indagaciones existenciales de don Rosendo.

---

10. *«Con la mejor voluntad (historia patriarcal, naturalmente conservadora)», de Alonso Zamora Vicente*

Muestra Zamora Vicente en este cuento su doble condición de narrador ameno y filólogo en ejercicio, obligado por esto último a la captación atenta de las expresiones lingüísticas peculiares de individuos o grupos sociales. Abundan en «Con la mejor voluntad» los ejemplos de un léxico solo conocido en el ámbito rural (o muy escasamente divulgado entre hablantes urbanos), ejemplos aderezados con coloquialismos y calas en la fraseología popular.

— Cataróguense, en sus respectivos apartados, y con los significados que les son propios (en caso de no haber sido facilitados en las notas), palabras, expresiones y refranes pertenecientes al registro de habla de los personajes del cuento.

La adecuación del ritmo narrativo a la expresión del contenido es aquí perfecta, y a ello contribuye en gran medida la vivacidad propiciada por la acumulación de frases no separadas por el tradicional punto. Las diferentes voces, en algunos momentos, se atropellan, impidiendo la identificación de los hablantes (no importa tanto quién habla como lo que se dice), y el contraste entre la interminable espera y el apresuramiento de la prosa crea, en fin, un efecto humorístico verdaderamente logrado.

— Profundícese en el análisis de los rasgos estilísticos, léxicos y sintácticos de «Con la mejor voluntad», y en su funcionamiento y efecto sobre el ritmo narrativo.

— Diferénciense las distintas voces presentes en el relato, precisando las secuencias en que se advierte la señalada inidentificación.

---

11. «Reichenau», de Juan Benet

La forma de expresión de Benet es representativa de la línea dominante en nuestra narrativa tras la crisis del realismo social. La palabra cobra el relieve que las manifestaciones menos afortunadas de este le habían negado en beneficio del mensaje ideológico. La atmósfera desasosegante, casi propia de una pesadilla, requiere un lenguaje igualmente inquietante, que vele una realidad que no ha de salir a la luz íntegramente. Las leyes de la razón han sido abolidas y reemplazadas por el misterio y la insinuación. El laberinto ha sustituido al camino recto, y de ello deja constancia un estilo literario nuevo.

— Enfóquese «Reichenau» desde un punto de vista lingüístico, atendiendo:

a) al léxico (háganse ver las características generales del vocabulario empleado);

b) a la sintaxis (prestando especial atención a la

abundancia de oraciones yuxtapuestas, coordinadas y subordinadas).

«Reichenau» es ejemplo de cuento circular: comienza exactamente en el punto en que acaba.

— Aventúrese, a partir de las orientaciones proporcionadas en **114, 115, 117, 122** y **123,** el posible significado de esa estructura circular.

Todas las respuestas son válidas, porque lo son todas las preguntas. En «Reichenau» todo tiene que suceder, sencillamente, y el lugar en que haya de acaecer carece de importancia. Pero ¿por qué tiene que ocurrir? ¿Para qué? Y, sobre todo, ¿qué es lo que ha de pasar? Solo preguntas; ninguna respuesta.

— Idéense interpretaciones del cuento, profundizando en las sugerencias aportadas hasta aquí y añadiendo otras posibles.

12. *«Mozart, K. 124, para flauta y orquesta», de Jorge Ferrer-Vidal*

— Pocas de aquellas ilusiones de mayo del 64 (a cuatro años justos de la mítica fecha en que todas las flores de la utopía se abrieron, para agostarse casi de inmediato) deben de sobrevivir en el pensamiento de

Jorge tras el paso de una década en la que sucedieron
tantas cosas y en la que se experimentaron cambios tan
decisivos. En la línea (espero que visible) de integración
de la literatura aquí presentada y el tiempo histórico en
que se enmarca, tal vez resulte de utilidad para el
paciente lector de estas orientaciones emplear el texto de
Ferrer-Vidal para tomar conciencia de la obligada cone-
xión entre la escritura artística y el medio social en que la
misma se practica. ¿Cómo habría que imaginar (como
personaje, es decir, como ser humano hecho vivir por la
literatura) a un Jorge inventado para amar a Carmen en
1974 y en 1984? ¿Y cómo habría de ser descrita su
nostalgia si esta lo asaltara por sorpresa en un 16 de
mayo de 1964 o en un 16 de mayo de 1984? ¿Sería
igualmente traslúcida su relación amorosa en cada una
de esas fechas, o algo resultaría diferente en las sociedades
de tales momentos históricos, algo que modificaría la
naturaleza de la relación? ¿Cómo vestiría hoy Jorge para
recordar a una Carmen de diez años atrás? ¿Cambia la
sociedad, y con ella los sentimientos, o la esencia de estos
es intemporal? ¿Cómo se escribiría un «Mozart, K. 124,
para flauta y orquesta» fechado hoy mismo? ¿Qué cam-
biaría en el texto sustituyendo la sinfonía mozartiana por
aquella declaración de fe en el ayer que venía a ser ese
Yesterday de los Beatles que en 1965 (quizá otro 16 de
mayo) hablaba de un tiempo sin problemas en el que el
amor era algo similar a un juego fácil? ¿Qué es lo que
hace intemporal un buen texto literario y cuándo comienza a apreciarse sobre una obra el inexorable paso
del tiempo, ese mismo tiempo que se le escapa a Jorge?
¿Depende ello de las transformaciones producidas en la
sociedad o de las cualidades intrínsecas de dicha obra?
Prolónguese, si se desea, la cadena de preguntas que un
texto artístico cualquiera, por breve que sea (un cuento,
por ejemplo), puede sugerir al lector que se aproxime al

hecho literario. De un cuento, ya se ve, puede extraerse más jugo del imaginable en un principio.

B) Orientaciones globales

1. *Análisis general*

Ni las limitaciones a que he aludido en la Nota previa, ni las características del género elegido para la muestra (cuento, y no novela), permiten considerar esta selección como un esbozo de lo que ha sido la narrativa española en las últimas décadas. Algunas de las orientaciones de esta, sin embargo, han quedado reflejadas en la antología: tremendismo, anecdotismo, neorrealismo, antirrealismo, neorromanticismo.

— Adscríbase cada uno de los cuentos a las corrientes señaladas, siguiendo la caracterización pergeñada en la Introducción.

— Caracterícense, de acuerdo con los elementos apreciados en cada uno de los relatos, las mencionadas tendencias, desde el doble punto de vista temático y formal.

— Hágase lo propio con aquellos cuentos que no puedan incluirse en ninguna de las corrientes citadas. Ténganse en cuenta, si se considera oportuno, algunas de las indicaciones del siguiente apartado.

2. *Análisis formal*

La selección recoge ejemplos de formulaciones estructurales de distinto carácter, con desarrollos expositivos igualmente diversos.

— Sepárense los relatos de acuerdo con estas variantes estructurales (y otras que puedan añadirse como complementos):

a) Cuentos de final cerrado (aquellos cuyas posibilidades narrativas acaban con la conclusión del relato)/ cuentos de final abierto (lo narrado es un fragmento que se secciona de un desarrollo más extenso, en el espacio y en el tiempo).

b) Cuentos de carácter puntual (se centran exclusivamente en una secuencia muy breve de la vida del personaje, secuencia probablemente reducida a los mismos minutos que dura la lectura del relato)/cuentos narrativos (aquellos que extienden su desarrollo a lo largo de una cronología considerablemente mayor).

c) Cuentos de personaje único/cuentos de más de un protagonista.

d) Cuentos con voz narrativa única (aquellos en los que una sola voz, la del narrador, desarrolla en su integridad el relato)/cuentos polifónicos (aquellos en que, bien se desdobla la voz del narrador, bien no es esta la única presente en el relato).

— Regístrense otros ejemplos, en los cuentos de esta selección, de las incorrecciones gramaticales señaladas en **7, 12, 45** y **46.**

— Discútase la validez de determinadas construcciones sintácticas en «El mundo transparente» (párrafos tercero, octavo, vigesimoctavo y trigesimonoveno).

3. *Análisis temático*

— Distínganse con claridad *tema* y *argumento* en cada uno de los cuentos.

— Puede proponerse un modesto ejercicio de comparatismo literario sobre la base de los diversos tratamientos, en algunos relatos, de asuntos sustancialmente similares. Véase, por ejemplo, la manera en que se ponen en juego aspectos como los siguientes, y compárense entre sí:

a) el humor (cuentos de Borrás y Zamora Vicente);

b) la cotidianidad (relatos de Aldecoa, Matute, Fernández Santos y Martín Gaite);

c) el tratamiento literario del lenguaje (cuentos de Cela, Matute, Delibes y Fraile).

d) la no-realidad (relatos de García Pavón y Benet);

e) La soledad y la incomunicación (cuentos de Matute, Martín Gaite, Fraile y Ferrer-Vidal);

f) el amor y el desamor (relatos de Aldecoa, Fraile y Ferrer-Vidal).

Una parte de la reciente historia española está reflejada, bien que de manera forzosamente incompleta, en estos doce cuentos.

— Póngase en relación, del modo que se juzgue conveniente y siempre que ello sea posible, cada uno de los cuentos con la evolución histórica de España en las últimas décadas, anotando aquellos detalles puntuales de los relatos que sitúan estos en una particular situación y cronología.

La praxis literaria acostumbra a ser la formulación explícita de una teoría (mejor o peor articulada) artística y existencial concreta, la del creador que ha escrito su obra y transmite su mensaje estético, sometiéndolo al juicio del lector.

— Cuestiónese la aplicación práctica, en los cuentos, de la *teoría* sustentada por los autores, a partir de las ideas expresadas por estos y recogidas en la sección Documentos y juicios críticos.

SE TERMINÓ DE IMPRIMIR ESTA EDICIÓN
EL DÍA 2 DE SEPTIEMBRE DE 1991

LAUS  DEO